VERLAINE

DU MÊME AUTEUR

ROMANS

Jésus-la-Caille. — Les Innocents. — Bob et Bobette s'amusent. — Scènes de la vie de Montmartre. — L'Equipe. — L'Homme traqué. — Verotchka l'Etrangère, ou le goût du Malheur. — Rien qu'une femme. — Perversité. — Rue Pigalle. — La Rue. — La Lumière noire. — Ténèbres. — Brumes. — Blumelein 35. — L'Homme de minuit. — Les " Belles Manières ". — Surprenant Procès d'un bourreau.

CONTES ET NOUVELLES

Au Coin des rues. — La " Belle Amour ". — Contes du " Milieu ".

REPORTAGES

L'Amour vénal. — Images cachées. — Printemps d'Espagne. — Palace-Egypte. — Prisons de femmes. — Traduit de l'argot. — Paname. — La Dernière Chance. — Les Hommes en cage. — La Route du Bagne. — Heures d'Egypte.

SOUVENIRS

Mémoires d'une autre vie. — A Voix basse. — Montmartre à vingt ans. — De Montmartre au Quartier latin. — Bohème d'artiste. — Envoûtement de Paris. — Nostalgie de Paris. — L'Ami des peintres.

VIES ROMANCÉES

La Légende et la vie d'Utrillo. — Le Roman de François Villon.

POÉSIES

La Bohème et mon cœur.

FRANCIS CARCO

de l'Académie Goncourt

VERLAINE

POÈTE MAUDIT

ÉDITIONS ALBIN MICHEL

22, rue Huyghens

PARIS

A PIERRE BRISSON

— *Voilà douze ans, monsieur, j'ai pris la suite,*
m'exposa posément le patron de l'hôtel du Midi,
un petit homme sec et courtois, coiffé d'une cas-
quette plate, genre « touriste ». Je n'ai donc pas
connu M. Verlaine, mais je reçois encore pas mal
de gens qui viennent pour lui. Après plus d'un
demi-siècle qu'il habitait cour Saint-François,
pensez! les choses ont pu changer. Ici, c'était
rien que des jardins, dans le temps, jusqu'au
chemin de fer. Et s'il m'était permis de placer
mon mot, je ferais remarquer... Mais non, voyez
plutôt par vous-même! Entrez. Rendez-vous
compte.

Dans le fond du couloir, à gauche d'un escalier
plus large que je ne l'aurais cru, un corridor
menait aux chambres du rez-de-chaussée.

— *Celle à M. Verlaine donnait sur l'autre cour,*
poursuivit le logeur. On y entrait par la buvette.
Mais j'ai supprimé la buvette pour éviter, la nuit,
les va-et-vient...

Il cligna l'œil, afin de bien me faire comprendre
de quel genre d'allées et venues il s'agissait puis,
comme je m'approchais des marches :

— *J'ai lu sur un journal, s'écria-t-il, qu'à la*

mort de Mme Verlaine mère, on n'a pas pu des-
cendre le cercueil par l'escalier. C'est tout de
même pas la place qui manque.

— Sans doute, dis-je à mon tour. Mais pourquoi ne pas admettre que l'on a démoli le pan de
maçonnerie qui obstruait le passage? Précisément, la cloison manque en cet endroit. Il suffirait de la rétablir pour rendre impraticable...

— Ah! tiens... oui, par le fait, reconnut de
bonne grâce mon interlocuteur. J'y avais pas
pensé.

Un vent mou, chargé de pluie, arrivait par
bouffées de la cour où le reflet d'une lanterne
vacillait sur les dalles. Dans le couloir, en dépit
d'une double couche d'enduit et de peinture qui
aurait dû les rendre imperméables, les murs laissaient filtrer l'humidité. Des gouttelettes bril-
lantes perlaient au plâtre du plafond et l'on
éprouvait sous le pied la sensation désagréable
du ciment gras, visqueux.

— Constatez! dit alors l'hôtelier prêtant l'oreille
au roulement feutré d'un train dont la rumeur
nous parvenait à travers l'épaisseur des murs...
C'est comme tout ce vacarme assourdissant —
qu'ils racontent — des wagons, des locomotives...

Nous revînmes sur nos pas. Dans la cour, où
tout semblait saisi d'engourdissement, les feux
roux des ampoules brûlaient à l'alignement des
façades et, par-dessus les toits, les lumières
toutes proches de la gare de Vincennes rayon-
naient en plein ciel. Le convoi s'éloignait. Son

*grondement se confondait avec les jets scandés
de la vapeur.*

*— N'est-ce pas? conclut le petit homme. Vous
avez vu et entendu? C'est tranquille.*

*A cet instant, une plantureuse commère, suivie
d'un gringalet, parut sous la voûte de la rue
Moreau. L'homme et la femme s'engouffrèrent
dans le vestibule d'une maison de passe où, sur
une vitre dépolie, on pouvait lire, se détachant
en lettres noires, le mot « hôtel ». La furtive présence du couple se volatilisa dans l'atmosphère
pluvieuse tandis qu'au halètement d'une énorme
machine poussive, un second train ébranlait le
silence et dérobait sa fuite sous un bouillon-
nement de fumées.*

*O cette cour Saint François! ainsi qu'on écri-
vait au temps qu'y échoua Verlaine. O si lugubre,
si nostalgique!... J'ignore sous quel aspect elle
surgit aux yeux d'Ernest Raynaud qui paraît
l'avoir confondue avec le passage voisin dont
l'entrée s'ouvre effectivement « sous les voûtes
du chemin de fer de Vincennes ». Mais ne chi-
canons pas à propos d'un détail. « L'hôtel, poursuit le narrateur, moisissait au fond d'une cour
humide où les trains dégorgeaient un ouragan
de suie et d'escarbilles. Cour encombrée de
hardes, de ferraille et d'une barricade de voitures
à bras... C'étaient, du matin au soir et du soir au
matin, dans ce malencontreux cul-de-sac, un pié-
tinement continuel, une tempête de rumeurs et
de cris, de chants, d'appels, d'aboiements, de*

rires et de disputes, tout un remue-ménage et le tumulte d'une cité ouvrière, au pitoyable grouillement humain. »

Certes, la « *barricade des voitures à bras* » doit toujours encombrer, à certaines heures, une partie de l'impasse de son enchevêtrement de roues et de brancards, mais on remise, la nuit, ces véhicules à l'intérieur d'un ancien atelier dont les volets sont soigneusement clos. Quant à la chambre qui « *ne recevait d'air et de lumière que par une fenêtre grillée et n'avait pour horizon que le cauchemar de hauts murs nus, aveugles, badigeonnés d'ocre et de marron* », on peut gager qu'elle a perdu cette apparence sordide. J'admets plus volontiers que « *le lit d'angle (il n'y est plus) se décorait de rideaux fripés d'andrinople, noirs, semés de fleurs rouges* » et que le reste : « *papiers déteints, carrelage ébréché* », était à l'avenant.

Or, au dire de François Porché, dans son Verlaine tel qu'il fut, si le poète occupait bien « *au rez-de-chaussée un cabinet obscur* », la pièce ne comportait « ni parquet ni même de carrelage : *rien que la terre battue, légèrement boueuse, par les temps de pluie* ».

Nous sommes — ne l'oublions pas — en pleine époque naturaliste. Ces descriptions le prouvent abondamment. Je n'en conteste pas l'authenticité puisque, sur divers points, leurs témoignages concordent; je crains plutôt que, sacrifiant inconsciemment au goût du jour, Raynaud n'ait *légèrement forcé la note. Il faut si peu de chose pour déformer le caractère du cadre le plus humble ou le plus familier que nous ne saurions trop prendre de précautions.*

Il s'agit, en effet, d'un de nos plus grands, de nos plus merveilleux poètes et il suffit qu'un tel artiste ait sombré dans une telle détresse pour que, déjà, elle nous consterne. Hélas! d'après les familiers de Verlaine, cette chambre au « sol de terre battue » ou revêtue d'un « carrelage ébréché » aurait encore été plus confortable que celle qu'occupait Stéphanie, sa mère, à l'étage au-dessus. L'infortuné venait d'avoir une crise d'hydarthrose au genou gauche, et le docteur Jullien avait — pour éviter tout épanchement plus grave — dû fixer la jambe du patient dans une gouttière qui l'immobilisait au lit. L'exiguïté du couloir, le manque de dégagement de l'escalier empêchaient donc le poète de s'opposer au sacrifice de la vieille dame. Il aurait fallu le porter. Et encore! les anciens locataires du père Chanzy se souvenaient de la façon dont le brave Auvergnat, en prenant possession de l'hôtel, avait été contraint de faire hisser par les lucarnes les plus grosses pièces du mobilier.

VERLAINE

CHAPITRE I

En ce mois de septembre 1885, Verlaine sortait
pour la seconde fois de prison. Son dernier
domicile parisien se trouvait au numéro 17 de la
rue de la Roquette, dans ce même quartier de la
Bastille, à deux ou trois cents mètres à peine de
la cour Saint-François. Mais cette distance représentait un si grand changement dans sa vie, elle
correspondait à une telle déchéance qu'il n'y
devait jamais penser sans un surcroît de détresse
et de dégoût, surtout en présence de sa mère
qu'il surprenait parfois plongée, comme lui-
même, dans de sombres réflexions. Et c'était,
sur cette malheureuse qu'il avait osé lever la
main! C'était elle qu'il avait menacé de tuer
si elle refusait de le suivre! La scène s'était produite onze mois auparavant à la campagne, dans
cette maison de Malval, près de Coulommes
(Ardennes), que sa mère lui avait donnée.
Etrange manière de témoigner sa gratitude! Mais
voilà : il était toujours ivre à Malval. L'idée du
mort obscurcissait tout à ses yeux. La maison

même qu'il habitait le lui rappelait constamment. Lucien y était né ; il y avait grandi... Il y revenait chaque année aux vacances. Les Létinois, n'ayant que ce garçon, l'avaient mis pensionnaire à Rethel, au collège Notre-Dame, afin de lui « donner de l'instruction ». Pauvre Lucien, si studieux, si attentif et si différent de Rimbaud ! Selon les uns, c'était un « jeune homme d'assez haute taille, aux yeux bruns et vifs, au regard doux, candide et résolu ». Selon les autres, un adolescent « pâle, mince, maigriot, dégingandé ». Et Lepelletier ne peut s'empêcher d'insinuer : « L'air sournois et naïf, un rustre dégrossi, prétentieux légèrement et sentimental assez, un berger d'opéra-comique : Colas à la ville. »

Fin comme une grande jeune fille,

rectifiera Verlaine qui, dans le déchirement d'avoir perdu ce compagnon de son âge mûr, nous confie — non sans une fausse honnêteté :

Je connus cet enfant, mon amère douceur,
Dans un pieux collège où j'étais professeur.
Ses dix-sept ans mutins et maigres, sa réelle
Intelligence et la pureté vraiment belle
Que disaient et ses yeux et son geste et sa voix,
Captivèrent mon cœur et dictèrent mon choix
De lui pour fils, puisque mon vrai fils, mes entrailles,
On me le cache en manière de représailles
Pour je ne sais quels torts charnels et surtout pour
Un fier départ à la recherche de l'amour,
Loin d'une vie aux platitudes résignée!

Retenons la raison qu'invoque le poète à propos
de ce choix : elle est à nos yeux capitale. Mais
quelle ne dut pas être la souffrance que ressentit
Verlaine de cette tragique disparition, si nous en
jugeons par les déchirants poèmes qu'elle lui a
inspirés !

A Malval, il avait beau sortir, arpenter les
champs, se rendre jusqu'à certains sites qu'il
avait admirés naguère avec Lucien, ses courses
s'achevaient dans un cabaret du village où, là
encore, de pénibles souvenirs l'attendaient.
Parfois, le soir, de jeunes gars accompagnaient
« monsieur Verlain », qui payait la tournée. Il
trinquait en leur compagnie, les poussait même
souvent à prendre un second verre, en échan-
geant divers propos à double sens qui provo-
quaient des rires, de grasses plaisanteries
jusqu'à ce que, tout à coup, il parlât *du* Létinois.
Alors, sa douleur éclatait. Il pleurait de vraies
larmes ou déclamait soudain, se croyant seul :

> *L'affreux Ivry dévorateur*
> *A tes reliques dans sa terre,*
> *Sous de pâles fleurs sans odeur*
> *Et des arbres nains sans mystère.*

Les garnements, d'abord surpris, riaient sous
cape et le cabaretier finissait par les jeter à la
porte, avant de revenir, très digne, à son comptoir et de verser une nouvelle rasade d'alcool à
ce client bizarre qu'on avait surnommé
« l'Ang...lais » dans le pays.

Un vieux chapeau, en tuyau de poêle, un macfarlane pisseux à carreaux jaunes, décolorés, qu'il avait rapporté de Londres, prêtaient en effet au poète une dégaine d'outre-Manche. A Paris, nul n'y aurait pris garde, mais dans ce caboulot de campagne, parmi des paysans en blouse, pareil accoutrement ne passait point inaperçu. Imaginez les tables poisseuses, les brise-bise empesés sur leurs tringles de zinc dédoré, le lustre emmaillotté de gaze, l'or terni des glaces, le comptoir, le parquet de bois blanc, les vieilles banquettes de moleskine et cette odeur d'absinthe flottant entre les murs comme le fumet d'une bête sauvage tapie dans un angle, où elle n'attendait sournoisement qu'un mot pour s'éveiller.

Cela dura six ans, puis l'ange s'envola,
Dès lors je vais hagard et comme ivre. Voilà!

On était au début de février. Du 9 au 11, Verlaine avait fait un saut à Paris, dans l'espoir d'obtenir une avance de son éditeur sur de menus travaux. La veille du départ, il s'était querellé avec sa mère, précisément pour une question d'argent et s'était comporté de façon si brutale envers la vieille dame que celle-ci s'était réfugiée chez des voisins, des Belges, à qui elle avait raconté que Paul voulait la battre. Or Verlaine détestait les Dave. Il les accusait de colporter sur lui des bruits perfides. Leur froi-

deur, leur réserve l'irritaient. Ils avaient, les
premiers, cessé de répondre à ses coups de gibus
lorsqu'il passait, en titubant, devant leur porte.
Pourquoi donc ces gens se mêlaient-ils de des-
servir autrui? A quel titre? Cependant, si le 11
au soir, en regagnant Malval, le poète ne s'était
pas trouvé dans un de ces « états flamboyants »
que l'absinthe allumait en lui, il n'aurait point
fait irruption chez ces « Belges odieux » ni sommé
grossièrement sa mère de le suivre. Stéphanie,
atterrée par le ton de la discussion, courbait la
tête. Qu'avait-elle fait pour déchaîner une telle
colère? Dave tenta d'expliquer au pochard que,
durant son absence, « madame Verlaine » était
allée prendre, dans sa chambre, du linge qui lui
appartenait, mais Paul n'écoutait pas. Il s'adressait à Stéphanie.

— Tu vas me suivre! ordonna-t-il en martelant
chaque mot d'un coup de gourdin sur le plancher.
Ta place n'est pas ici... dans cette maison!

Puis, comme la malheureuse essayait de fuir,
il l'avait empoignée par un pan de sa robe. Et,
subitement, au paroxysme de la fureur :

— Si tu ne me suis pas, s'était-il mis à voci-
férer, je te tue!

D'une bourrade, Dave avait projeté l'énergu-
mène hors de chez lui mais, le lendemain,
toujours sous l'empire de l'ivresse, le poète
s'était rendu à la gendarmerie afin d'y déposer
une plainte contre cet homme qu'il accusait de

« violation de domicile », tandis que ce dernier
l'assignait en police correctionnelle pour brutalités et menaces de mort. Selon Dave, Verlaine
avait tiré un couteau de sa poche et Stéphanie,
encore tout effarée par cette scène de quasi-
démence, avait dû en convenir. Le 24 mars,
l'affaire passait devant le tribunal de Vouziers.
Paul, que la pauvre femme tentait de disculper
aux yeux des juges, s'entendit condamner à un
mois de prison et à cinq cents francs d'amende.
Son casier judiciaire portait une seconde ins-
cription plus infamante peut-être que la première car, aux dépositions des témoins de
moralité sur ses mœurs, le greffier ajouta que
ladite peine était infligée pour sévices graves
envers la personne de Stéphanie Dehée, épouse
de Nicolas-Auguste Verlaine, décédé le 30 décembre 1865, à Paris, et mère de l'inculpé.

Néanmoins, quelle tendresse, quelle vénéra-
tion le poète n'éprouvait-il pas pour cette humble
et trop faible créature! Douze ans plus tôt, elle
avait assisté, à Bruxelles, à la réconciliation de
son fils et de Rimbaud. Sa chambre commu-
niquait avec la leur et, durant les deux nuits
qu'ils passèrent à l'hôtel, couchés dans le même
lit, l'innocente créature ne se douta de rien. Ce
qu'on avait alors pu dire ou imprimer au sujet
de Paul et d'Arthur lui semblait monstrueux,
imbécile. A Malval, les fréquentations de « l'En-
glish », le bruit soulevé par sa liaison avec Lucien
Létinois, dont la mort toute récente était au fond

la cause de l'abrutissement du poète et de sa
déchéance, ne l'émurent pas une seule minute.
Ivrognes, coureurs, débauchés, malfaiteurs possèdent presque toujours une « vieille » dont l'âme
candide ne saurait être effleurée du plus léger
soupçon. Aucun excès, aucun scandale, aucun
flagrant délit ni même aucune condamnation ne
parviendraient à jeter en elle le moindre doute.
Villon, qui par maintes rigueurs de son destin
ressemble tant à Verlaine, nous a montré dans
une ballade sublime sa mère « povrette et ancienne » en train de prier Notre-Dame. Ainsi que
Verlaine, on l'a jeté en prison; une partie de sa
vie s'est écoulée au sein d'une misère sordide.
Et, comme Verlaine, il demeure l'un de nos plus
grands, de nos plus purs poètes. D'où cela provient-il? De quelles nécessités secrètes? De
quelles fatales, de quelles tragiques lois de com-
pensation? A cinq siècles d'intervalle, tous les
deux se complètent. Chez Verlaine, il est vrai,
le truand disparaît derrière le bourgeois (car
nul ne fut moins « truand » que lui), le petit
bourgeois tombé dans la mistoufle et qui prend
des façons de bohème, de déclassé. Il y avait tant
d'éléments contradictoires dans sa nature qu'on
se demande quels sont ceux qui lui appartiennent
en propre et comment il se fait que, subitement,
dans la brute ivre, la plus exquise délicatesse
semble n'attendre qu'un certain degré d'abjec-
tion pour se manifester. De son vivant, Stéphanie
a toujours préservé son fils contre lui-même.

Qu'il rentrât saoul n'importait plus ou guère. La vieille dame avait fini par s'y résigner. C'était d'ailleurs sa faute. La faiblesse dont elle avait fait preuve en l'élevant, l'étourderie, la légèreté de son caractère — sur d'autres points économe et borné — sa candeur, sa timidité de provinciale, ses goûts modestes, son incompréhension du drame qui se déroula sous ses yeux, expliquent en grande partie la veulerie, l'aberration, le cynisme de Paul. Cependant la présence, au sommet d'une armoire, de bocaux où l'étrange créature conservait — paraît-il — dans de l'alcool, trois fœtus qu'elle avait mis au monde avant d'accoucher du poète, dénote un déséquilibre, aggravé de fétichisme sexuel, en un temps où personne n'eût osé employer de tels mots. Il y avait là pour un enfant (bientôt pour un adulte) un secret que la gêne des uns et des autres devait entourer de mystère, de « choses qu'on ne dit pas », un peu « honteuses » peut-être, à coup sûr déplacées. De même conçoit-on l'attitude du père, le capitaine ? Excellent homme au demeurant : Légion d'honneur, croix de Saint-Ferdinand d'Espagne. Quand il eut mis Paul, rue Chaptal, pensionnaire à l'institution Landry, il dérobait chaque jour à table quelque primeur dont le « petit » était friand. Une histoire de haricots verts en salade attendrissait encore Verlaine, trente ans plus tard, lorsqu'il se la remémorait. Faible donc, presque simple, pour ne pas dire sénile, le « paternel » ! Lui non plus ne devait pas se sentir à l'aise en contemplant les trois fœtus du haut de l'armoire. Quelle chance pourtant qu'un soir de cuite l'ivrogne n'ait point poussé l'extravagance jusqu'à « sécher » le contenu des récipients! Il était de taille à tenir le pari.

Autre chose : sans être ce qu'on appelle un « fils de vieux », Paul est né d'une mère âgée de trente-deux ans et d'un père qui approchait de la cinquantaine. Lorsqu'un couple se compose d'un homme de vingt-cinq ans par exemple et d'une femme de vingt, il a plus de chances qu'un ménage arrivé à maturité de procréer un enfant sain. Que devons-nous penser de ces parents? Malgré son grade, le capitaine est d'une tendresse presque sosotte. Quant à sa digne épouse, les trois fœtus qu'elle trimbala au cours de plusieurs déménagements, permettent d'établir avec quelle espèce d'idée fixe elle attendait la naissance de ce quatrième fils. Rien d'étonnant, dès lors, que Paul ait été tant choyé. Toutefois, la façon dont il traita sa mère en diverses circonstances demeure inexcusable. Il l'insulte, la frappe, menace même de la tuer. Et Stéphanie pardonne. Au moindre appel de son « petit », elle accourt, elle le soigne, le réconforte : sa passivité n'a d'égale que celle de Paul lui-même. La touchante vieille dame sait que l'argent, tout son argent, fondra entre les mains de l'ivrogne : elle a beau faire des comptes et frémir en songeant aux menaces de l'avenir, elle se laisse dépouiller par Paul, si bien que lorsqu'elle meurt, le 21 janvier 1886, elle ne possède guère qu'une somme de sept mille francs en billets de banque et un maigre paquet d'obligations dissimulées dans sa paillasse, où le logeur les découvrit.

CHAPITRE II

Cette fin de Stéphanie dut être abominable.
Le 20 au soir, Verlaine qui, comme toujours,
avait besoin d'argent écrivait à Léon Vanier, son
éditeur :

*Pourrez-vous cher ami, venir demain matin
— choses des plus importantes, mère morte peut-
être...*

Il la savait perdue. Depuis cinq jours la pauvre
femme, tournée contre le mur, ne demandait
même plus pourquoi Paul ne se trouvait pas à
son chevet. Le roulement des trains qui ébran-
laient l'immeuble, l'assourdissait au point qu'elle
ne savait plus si ces bruits n'étaient point provoqués par la fièvre. Toutefois, à la moindre
lueur de lucidité, elle comprenait que Paul, avec
sa jambe plâtrée, n'avait pu passer par le couloir
et, de peur qu'il ne se tourmentât, s'il apprenait
qu'elle le réclamait, la moribonde s'efforçait à

ne pas se plaindre, en dépit de l'angoisse et des suffocations dont elle sentait les affres se multiplier.

Il y avait plusieurs semaines qu'à la suite d'une poussée d'hydarthrose au genou gauche, Verlaine gardait la chambre. Sa mère avait pris froid en le soignant. Puis une pneumonie s'était déclarée. Les deux malades communiquaient par l'entremise de Chanzy, leur logeur, et de son épouse qui, tour à tour, se relayaient dans les fonctions d'infirmiers bénévoles. Un de leurs cinq enfants, le jeune Pierrot, qui d'habitude crachait dans les salières et tétait le goulot des chopines, se montrait pénétré du caractère sacré de sa nouvelle mission. Soit qu'il bondît jusqu'au « tabac » de la rue de Charenton pour acheter un cornet de « gris », soit qu'il escaladât les marches qui menaient au premier, il s'appliquait à ne rien oublier des courses dont il avait la charge. C'est lui qui, la veille du jour où mourut Stéphanie, s'était hissé sur ses petites jambes afin de l'embrasser « de la part de m'sieur Paul », et qui, redescendant ensuite l'escalier, quatre à quatre, avait informé le poète que sa « môman » allait plus mal.

— Tu verras, avait-elle l'habitude de dire, tu en feras tant qu'un jour je m'en irai, sans que jamais tu saches où je suis.

C'étaient ses propres termes ; elle les avait si souvent répétés devant Paul qu'il ne pouvait songer à la morte sans l'entendre le menacer de disparaître ainsi. Cependant, il savait que ce n'était pas vrai, qu'elle était étendue sur son lit, les yeux clos, entourée des voisines qui avaient procédé à sa toilette funèbre. Parmi ces femmes, Verlaine en reconnaissait, à leurs voix, quelques-unes qui faisaient le trottoir, la nuit, à l'angle de la rue Moreau et de l'avenue Daumesnil. Une surtout, qui s'appelait Marie Gambier, une rousse, ou plutôt « une imperceptible blonde, d'un blond ardent merveilleux », devait être allée voir, elle aussi la morte. Le poète évoqua sa « camisole rouge à pois blancs , sur une jupe pareille », son air de « petit incendie »... La présence de cette fille au chevet de sa mère le troublait. Ce n'était cependant ni le jour ni l'endroit de penser à Marie, mais il avait beau s'interdire d'évoquer son « nez trop à la retroussette, son teint haut de buveuse habituelle et ses cils un peu de lapin blanc », l'attrait qu'elle exerçait sur tous attisait sa concupiscence,

> *Notre-Dame du galetas*
> *Que l'on vénère avec des cierges*
> *Non bénits,...*

le hantait, l'obsédait. Il songeait aux plaisirs que Marie était experte à dispenser et, bien qu'il en eût honte, il ne pouvait s'empêcher d'imaginer la joie qu'il éprouverait bientôt à la retrouver dans le passage. Il savait que cette fille habitait l'hôtel du Midi et, déjà, cent images luxurieuses

fourmillaient dans ses yeux quand, soudain, il
se ressaisit. Il aurait souhaité que Chanzy em-
pêchât de telles créatures de rester si longtemps
là-haut, dans cette chambre où, sans sa maudite
jambe, il aurait dû, lui, se tenir et recevoir les
gens. Or Chanzy ne pouvait se trouver partout
à la fois. Muni d'une procuration que Paul avait
signée, il était pour l'instant en train d'accomplir
des formalités à la mairie avant de passer à
l'église et de se renseigner sur l'heure et la date
des obsèques. Au début de l'après-midi, un médecin était venu constater le décès et délivrer
le permis d'inhumer : un vieux bougre, au pardessus râpé, aux informes godasses boueuses,
qui tirait ses dernières ressources de ces visites
mortuaires, en souhaitant chaque matin qu'elles
fussent assez nombreuses afin de lui permettre
de « joindre les deux bouts ». Sur les conseils
de l'Auvergnat, cet homme s'était arrêté chez
Verlaine pour lui fournir de vagues explications.
Puis il avait accepté un petit verre, avant de continuer à pied sa ronde sinistre, le dos voûté sous
la pluie froide.

Ah! vraiment c'est triste, ah! vraiment ça finit trop mal.
Il n'est pas permis d'être à ce point infortuné.

aurait pu, comme à Londres, lamenter le poète
en écoutant les gens aller et venir dans le couloir
qui séparait sa chambre de la buvette où, par
égard pour la défunte, les habitués s'entrete-

naient à voix basse de l'événement. Un feu de
charbon rougeoyait dans la grille. Au dehors,
entre deux passages de trains, des commission-
naires, qui les avaient louées à l'heure, remisaient
au fond de la resserre des charrettes à bras dont
les roues tressautaient sur les pavés. Soudain,
une voiture à cheval s'arrêta dans la cour devant
la porte de l'hôtel. Le cocher sauta du siège en
même temps qu'un gros homme rougeaud, à
veste et à casquette de drap noir. Tous deux,
ensuite, réclamant le patron, s'informèrent de
l'étage où ils devaient transporter le cercueil, et
Verlaine entendit répondre à travers la cloison,
sur le ton le plus naturel du monde :

— Va falloir le monter par la fenêtre. J'ai
averti les Pompes Funèbres pour qu'on amène
des cordes. Les avez-vous?

Le malheureux s'enfouit la face entre les
mains, comme s'il avait eu peur d'assister à la
scène. Elle s'imposait si lugubrement à son esprit
qu'au choc sourd de la bière qu'on déposait par
terre, il tressaillit. Au même instant, Chanzy
pénétrait dans la chambre : il tenait à la main
des papiers qu'il tendit à son locataire.

— Allons! Du courage, monsieur Paul! dit-il
avec une cordialité attendrie. Et mettez ça à
gauche. C'est des titres, des valeurs que madame
votre mère gardait dans sa paillasse. Il y a même
des billets de banque. Je les ai trouvés en chan-
geant les draps... Vous entendez?

Il dut glisser, sous le traversin du poète,

l'argent et les obligations dont il avait noté les coupons et les numéros sur un coin de journal, puis il se retira sans que l'autre eût prononcé un mot. Les impressions qu'éprouvait Paul le plongeaient dans l'anéantissement. Jamais semblable détresse n'avait fondu sur lui. Jamais il ne s'était senti si seul, si misérable. Et toujours ce reproche, cette demi-menace : « Tu verras, tu en feras tant... »

Sa jambe, qu'il ne pouvait déplacer sans qu'elle lui arrachât des cris, ajoutait à son désespoir. Il se disait que Dieu le punissait, qu'Il choisissait cruellement son heure et qu'en le clouant sur ce grabat, Il entendait le châtier non seulement dans sa personne, mais dans celle de l'unique femme qu'il eût vraiment aimée, en dépit des mauvais traitements qu'il lui avait infligés et qu'elle avait supportés d'un cœur humble et vaillant par amour pour lui. Hélas! méritait-il que Stéphanie eût subi tant d'épreuves et tant d'injustices pour la seule faute ou la seule joie de l'avoir mis au monde? A présent qu'elle l'abandonnait, il mesurait toute l'étendue de son ignominie.

— Mon Dieu! murmura-t-il en gémissant. Pourquoi vous acharner ainsi?

Mais il était trop tard! Notre destin se forme et se dénoue comme un nuage errant. Tendresse, amour, passion, tout se perd, s'efface dans le vide. Un instant, sur l'écran lumineux de ce qu'on nomme la vie, nous ne faisons qu'apparaître, avec notre part de chance, d'insolence ou de

mérite... Le temps de traverser cet étroit intervalle qui sépare la nuit du néant, nous ne sommes
plus qu'un souvenir.

— Faut pas pleurer, m'sieur Paul! répondit
une vɔix. C'était celle de Pierrot qui, penché sur
la grille, la garnissait de coke : la lueur du foyer
projetait contre ie mur une ombre énorme, dé-
mesurée pour ce petit corps d'enfant malingre.
Verlaine n'entendit pas : il contemplait cette
ombre à laquelle d'autres ombres se mêlaient
sans qu'il pût discerner celles des morts de celle
du gamin.

CHAPITRE III

Et tout avait eu lieu comme dans un songe où la réalité mettait parfois sa note triviale et douloureuse. Au retour du cimetière, « ces dames », qu'un landau tendu de crêpe venait de déposer cérémonieusement à la porte de l'hôtel, étaient entrées dans la buvette pour y licher qui un bol de vin chaud, qui un « américain » avant d'aller, selon leur expression, à l'atelier. Verlaine se représenta, parmi les arbres dénudés du cimetière, la tombe des siens. Sous le nom du capitaine et les deux dates : 1798-1865, on inscrirait deux autres dates, un autre nom. L'idée de cette tombe lui fut d'une grande douceur. Il se disait que ceux et celles qui avaient assisté aux obsèques, emporteraient l'impression que Stéphanie appartenait à une famille d'un rang de beaucoup supérieur à celui qu'ils imaginaient. Cela le vengeait de la gêne où on avait pu voir l'humble femme se débattre, depuis leur installation à tous les deux, cour Saint-François. Un vieil esprit bourgeois se

réveillait en lui et réduisait soudain sa peine à
de si mesquines considérations qu'il fut presque
étonné de moins souffrir.

C'était au fond sa véritable nature : il la tenait
de sa mère pour le respect des convenances, la
ponctualité d'ailleurs sans esprit de suite, la faiblesse, l'absence totale de raisonnement, tandis
qu'une autre hérédité, mais plus lourde, lui
venait, du côté paternel, à travers la violence et
le déchaînement de tous les appétits des arrière-
grands-parents. Or, jamais jusqu'alors, critiques,
confrères ou camarades, personne n'avait pensé
que l'auteur des *Poèmes saturniens* devait plus
tard écrire *La Bonne Chanson*, sans cesser de
rester le même homme qui, dans les *Fêtes
galantes,* s'était mis à pincer les cordes d'une
guitare en fredonnant d'un air badin :

Mourons ensemble, voulez-vous?

Nul en effet n'a, moins que Verlaine, dissi-
mulé quoi que ce soit de ses réactions. Pourquoi
donc ne vouloir tenir compte de la franchise de
ses aveux qu'à dater d'une certaine période? Il
suffit d'écarter l'inévitable part que ses premières
œuvres comportent d'influence, d'imitation. Leur
accent ne trompe pas. Pour peu qu'on prête
l'oreille aux inflexions secrètes de cette voix déjà
si âprement sincère, on ne peut rester insensible
à son désenchantement.

Mme Alphonse Daudet (rapporte François
Porché dans une des précieuses notes de son

livre) contait, à propos de la laideur du poète,
le trait suivant : on se souvient de la pièce fameuse des *Poèmes saturniens :*

Ce qu'il nous faut à nous, les Suprêmes Poètes
Qui vénérons les dieux et qui n'y croyons pas,
A nous dont nul rayon n'auréola les têtes,
Dont nulle Béatrix n'a dirigé les pas,

Aussi, lorsque Paul récitait en public ce morceau, le dernier vers faisait sourire les jeunes
filles. Et ce sourire signifiait, chez toutes : « Avec
une figure pareille, je comprends qu'il ne l'ait pas
trouvée, sa Béatrix! »

Tout enfant, « un teint pâle presque terreux
(je cite encore François Porché), un grand front
bombé, des yeux vaguement bleus qui paraissent
noirs tant ils sont enfoncés dans les orbites, un
nez court arrondi du bout, des pommettes saillan-
lantes » faisaient croire, lorsqu'il sommeillait,
à « une petite tête de mort ».

Hélas! la mère elle-même de son meilleur ami,
Edmond Lepelletier, n'avait pas pu cacher la
pénible impression que Paul avait produite sur
elle :

— Mon Dieu, s'était-elle écriée, il m'a fait
l'effet d'un orang-outang!

Or le poète n'ignorait rien de sa disgrâce, et
pourtant, il n'était encore ni alcoolique ni dépravé
au point qu'il tenta par la suite de le laisser entendre, afin de se soustraire à l'humiliante pitié
de ses contemporains. On parle beaucoup de ce
café du Gaz où le jeune expéditionnaire de la

Ville de Paris rencontrait à l'apéritif ses collègues Léon Valade, Albert Mérat et quelques
jeunes collaborateurs du *Parnasse contemporain,*
devant lesquels, régulièrement, il s'enivrait pour
le stupide plaisir de boire. Qui nous dit si alors
une telle intempérance n'était point provoquée
par diverses rebuffades essuyées dans la rue,
au hasard d'une rencontre ? Le malheureux, bien
sûr, n'allait pas le crier sur les toits. Puis l'habitude était venue. Doué d'une pareille figure
(dont ses parents — sa mère surtout — fei-
gnaient de ne point s'apercevoir), Paul dut subir
les pires humiliations. Gâté, comme il l'était,
aimant, sensible, il fut certainement — plus que
tout autre — meurtri par ces échecs. En même
temps, ils expliquent la passion de l'adulte pour
Stéphanie : passion d'autant plus vive, et peut-
être normale sous son apparente innocence,
qu'elle ne s'adressait pas uniquement à sa mère,
mais à la femme incarnée par sa mère, sans
qu'il eût à la conquérir. Il oubliait, près d'elle,
son « front trop grand, ses yeux trop enfoncés,
ses pommettes trop saillantes » ou, lorsque cette
pensée lui assombrissait l'âme, il rendait Stéphanie responsable de ses maux.

Il y a là, dès l'origine, un lien très fort et qui
durera toute la vie, entre la mère et l'enfant. Que
Paul n'ait recherché d'abord auprès de Stéphanie
qu'une délivrance à ses chagrins, qu'une protection à sa faiblesse, il n'en demeure pas moins sûr
qu'en dépit de cette délivrance et de cette pro-

tection, Paul sentit augmenter sa peur ou plutôt
son appréhension des femmes. Appréhension
d'ailleurs gonflée de convoitises. Nul n'aima plus
le « sesque », comme il disait, que lui. D'un
amour qui tournait à l'obsession. Rappelez-vous :

J'ai la fureur d'aimer. Mon cœur trop faible est fou.
N'importe quand, n'importe quel et n'importe où,
Qu'un éclair de beauté, de vertu, de vaillance
Luise, il s'y précipite, il y vole, il s'y lance,

Déjà, dans les *Fêtes galantes,* un vers à qui
personne ne fait d'habitude attention, dénote à
quel degré le malheureux pouvait envier ceux de
ses camarades qui — mieux partagés que lui
physiquement — possédaient des maîtresses :

Ils n'ont pas l'air de croire à leur bonheur.

Lui n'avait pas de maîtresse. On ne l'avait
jamais vu en compagnie d'une femme. Ses seules
amours se résumaient à de grossières et mé-
diocres aventures de maisons d'illusions, où il
se rendait en cachette, quitte à sombrer ensuite
dans un dégoût d'autant plus vaste que ces ca-
resses vénales ne remplaçaient pas celles dont
il avait besoin.

Ainsi, contre tout équilibre, le poète acquit de
bonne heure une science amoureuse, assez rare
chez un adolescent, tandis qu'il conservait intacte
la candeur de son âge.

La preuve en est qu'à la première chance de
plaire, il parle immédiatement de mariage. Cette
scène a trop de fois été contée pour que j'insiste...

Paul n'avait eu, pourtant, qu'une rapide entrevue avec Mathilde, mais le fait que la demi-sœur de son ami Charles de Sivry se fût intéressée à sa personne, le plonge dans une si folle exaltation qu'il cesse, le premier soir, de boire, quitte Paris précipitamment, s'enfuit chez son oncle maternel à Fampoux, près d'Arras, et là — par peur sans doute d'aller au-devant d'une nouvelle désillusion — se saoule comme une brute. Puis, tout fumant encore de l'ivresse de la veille, il adresse au cher « Sivrot » une lettre qu'il supplie de montrer aux parents de la jeune fille afin d'obtenir leur consentement. Or (folie pour folie) les Mauté de Fleurville accordent presque aussitôt la main de Mathilde au soupirant. Et celui-ci n'absorbe plus une goutte d'absinthe. Cette « petite » l'a transformé. Double miracle! Il compose des vers pour elle. Il oublie qu'il est laid. Ses sentiments révèlent la profondeur, l'angoisse, l'immensité de son émoi.

Puisque l'aube grandit, puisque voici l'aurore,
Puisque, après m'avoir fui longtemps, l'espoir veut bien
Revoler devers moi qui l'appelle et l'implore,
Puisque tout ce bonheur veut bien être le mien,

Bien plus, il repousse et dénonce :

L'oubli qu'on cherche en des breuvages exécrés!

Mais l'oubli de quoi? De sa tête de « squelette gras », comme disait Leconte de Lisle, de cette face repoussante et de tout ce qu'elle lui rappelle de dédains subis, de déceptions et de ran-

cœurs. N'est-ce pas? tout est encore possible.
Verlaine ne réclame pas grand'chose. Comme
tant d'autres, il n'aspire qu'à un foyer paisible.
Il souhaite un intérieur douillet, une vie droite,
exemplaire, une femme « et que j'aime et qui
m'aime ». Rêve bourgeois, idéal en série, s'il en
existe. Or il n'a jamais cessé de le faire, ce rêve.
Même plus tard, au milieu des pires désordres,
des excès, des erreurs de toute sorte. Est-ce
possible? Un tel poète en quête d'un bonheur
si médiocre! Heureusement pour nous, il n'en
fut rien. Toutefois, si *La Bonne Chanson* conserve tant de fraîcheur, de charme, de pénétration, c'est que Verlaine se forge de la vie conjugale une image disproportionnée à celle qu'il
pouvait en attendre. Comment une fillette de
seize ans aurait-elle deviné ce que l'auteur de
ces « si jolis vers » exigeait du don de sa jeune
personne? Elle était étourdie, flattée. Raisonnable avec ça : Paul constituait un excellent
parti. Et l'amour qu'elle lui inspirait le boule-
versait, le jetait dans les transes. Il affirmait :

> *La dure épreuve va finir :*
> *Mon cœur, souris à l'avenir.*

> *Ils sont passés les jours d'alarmes*
> *Où j'étais triste jusqu'aux larmes.*

Dix-sept mois plus tard, il « plaquait » tout : la
femme, les beaux-parents, la suspension, la
calotte à gland d'or du « vieux », l'enfant qui
venait de naître... Mathilde était malade; Paul

sort à la recherche d'un docteur et il croise en
chemin Rimbaud. Cela suffit. Verlaine s'en va...
Il part, non pas, uniquement, pour suivre
« l'homme aux semelles de vent », mais tout en
subissant son charme, pour vivre enfin sa vie
et obéir à son destin.

« Ma pauvre Mathilde, griffonne-t-il sur un
bout de papier à l'adresse de la jeune épouse,
n'aie pas de chagrin, ne pleure pas. Je fais un
mauvais rêve. Je reviendrai un jour! »

*
**

Peut-être, en contemplant sa grille où le feu
couve, songe-t-il, ce soir, à cette fuite. Sa douleur
s'est calmée : elle a fait place à une manière
d'engourdissement. Dans la cour, maintenant
déserte, où tremblote sous la voûte du passage
un maigre lumignon, tout lui rappelle encore le
funèbre ébranlement du convoi emportant vers
les Batignolles la dépouille de sa mère.

Néanmoins, Paul ne souffre plus. Cette idée
de départ qui rôde dans son cerveau, au souvenir
de sa rupture avec Mathilde, s'amalgame à l'idée
d'il ne sait quel retour. « Je reviendrai... », a-t-il
promis. Il le croyait alors, mais c'était au retour
de sa femme qu'il pensait. En effet, en dépit de
ses torts, à lui, elle était accourue, à Bruxelles,
au rendez-vous fixé. Stéphanie l'accompagnait.
Paul et Mathilde avaient même passé la journée
à l'hôtel dans une chambre, puis les deux époux
réconciliés et madame-mère avaient repris le

train pour Paris quand, brusquement, à la dernière gare-frontière, au moment de changer de
wagon, le poète avait refusé d'aller plus loin.
Mathilde pleurait. Paul avait éprouvé une sombre
jubilation à voir couler ses larmes : elle l'appelait,
penchée à la portière. Etait-il saoul ? Bien sûr !
Cependant, ce n'était point à l'ivresse qu'il devait
d'agir de la sorte. Les quelques heures, passées
tête-à-tête avec sa femme, avaient suffi pour la
lui rendre odieuse : elle s'était donnée trop vite !
Elle avait admis trop vite que tout était fini,
oublié, pardonné. Quelle dinde ! Une pareille
conclusion l'écœurait. Non. Les choses dans la
vie ne s'arrangent pas si bien. Ce serait trop
simple ou trop bête. Et lui qui, pendant toute
sa fugue à Londres, n'avait parlé que de ses
fautes, de son foyer détruit, de l'existence
absurde et honteuse qu'il menait, il avait froidement rompu, pour le plaisir d'endurer les pires
maux et de sentir à l'avance à quel point il en
souffrirait.

Un second billet, qu'il rédigea séance tenante
à la buvette de la gare, rendait désormais impossible l'espoir d'un nouveau rapprochement.

« Misérable fée carotte, princesse souris,
punaise qu'attendent les deux doigts et le pot »,
écrivit-il à l'adresse de Mathilde...

Et celle-ci, risquant plus tard dans ses
« Mémoires » une allusion à cette scène inex-
plicable, mentionne :

« Je ne l'ai jamais revu. »

*
**

Se doute-t-il, ce soir, qu'elle pense à lui? Cela
le laisse indifférent. Les yeux mi-clos, c'est à sa
mère qu'il songe, à son départ qui ne comporte,
hélas! aucun retour. Il pleut. Le malheureux
perçoit le gargouillement d'un ruisseau dont le
trop-plein s'écoule sous terre et imprègne l'atmosphère d'humidité. Le feu fétide mijote. Parfois
un coup de vent rabat la fumée dans la chambre,
tandis que, du remblai de la ligne de Vincennes
où elle traîne à sa suite une longue file de wagons
luisant sous l'ondée, une vieille locomotive
déverse sur l'impasse un flot dense de vapeurs
dont le mouvant panache s'étale entre les façades
blêmes, avant de remonter par petits tourbillons.
Il y a des années, un vent chargé de sel chassait,
comme ce soir, la brume. Mais c'était sur la mer.
Les bruits d'un port retentissaient allégrement.
Ici, le poète n'entend que par intervalles iné-
gaux les multiples bruits de la ville qu'un souffle
vague apporte de la Bastille et du boulevard.

> *O, bruit doux de la pluie*
> *Par terre et sur les toits!*

Sous la voûte, armées de riflards, des filles
discutent d'une voix forte en attendant la fin de
l'averse. Les pavés doivent briller, la rue doit
être vide. Qui se douterait de la présence de ces
prostituées dans l'ombre? Et qui également, à
part Mathilde, mais en calculant l'héritage, se

soucie du rêveur que le poids de sa jambe étalée au milieu du lit, empêche de dormir et maintient attentif au plus discret rappel de ses folies?

Vanier n'est pas venu; le petit homme aux grosses moustaches du quai Saint-Michel a flairé le « tapage ». S'il se frotte toujours les mains d'un air jovial, il n'aime guère les mettre de gaîté de cœur à la poche. Il est vrai que Verlaine l'a fatigué par ses perpétuelles demandes d'argent. Sous prétexte d'avoir payé l'impression de *Jadis et naguère*, le poète passe les bornes. Même dans le billet qui laissait supposer la mort de Stéphanie, sa façon d'insister pour que Vanier passe le voir découragerait le plus naïf. « *Livre prêt*, a-t-il indiqué, *et courage quand même, malgré tout.* »

Cela signifie : « Vous n'auriez pas, des fois une thune? » Car il s'agit de sommes infimes. Cent sous pour un sonnet, un louis pour une ballade, cela ne met pas même le vers à cinquante centimes. Pauvre grand Verlaine! S'il manifestait au moins le désir, l'intention de payer régulièrement sa chambre, l'éditeur se dirait qu'il n'aurait pas ensuite lui-même à la régler. Malgré ses mesquineries, Vanier n'est pas un mufle. A diverses reprises, il a tiré de son portefeuille une ou plusieurs coupures de cent francs pour apaiser les créanciers de « môssieu Paul ».

— Voyons, lui a-t-il dit un jour au sujet des billets, je ne les fabrique pas. Il faut que je les gagne.

— Et moi, non? a riposté l'autre.

Heureusement, Chanzy est un brave homme. Tout à l'heure encore, il a rendu visite au malade, afin de s'informer s'il n'avait besoin de rien pour la nuit. Une femme qui vidait sur le zinc un petit marc payé par son dernier client s'est glissée dans la chambre, derrière le mastroquet.

— Je tiens à vous dire qu'on a toutes pris part à votre deuil, explique-t-elle, gênée. Seulement, comme on pouvait pas s'amener ensemble, les copines m'ont envoyée...

C'est une gaillarde aux cheveux en casque, aux yeux clairs, chaussée de hautes bottines lacées. Chanzy, de peur qu'elle ne fatigue son locataire, lui impose silence. Mais Verlaine considère cette grande fille d'un air goulu. Elle lui rappelle Marie.

— Y avait même votre dame, à ce qui paraît, poursuit la visiteuse. J'étais assise près d'elle dans la voiture, avec Gambier, quoi! la rouquine, que vous connaissez, Mélie, la grosse Irma. On parlait de vous. On racontait des choses... Et cette dame écoutait d'un drôle d'air. Ce n'est qu'ensuite, quelqu'un a dit : « Tiens! mais voilà son ex... à monsieur Paul! Elle est encore pas mal. »

— Comment, Mathilde assistait à l'enterrement?

— Bien sûr!

— Qu'elle crève, c'est tout ce que je lui souhaite! ronchonne Verlaine.

La fille éclate de rire.

— Mince, alors! affirme-t-elle. Vous au moins, m'sieur Paul, ça fait plaisir... Vous changerez pas... jamais!

Chanzy, cette fois, pousse la bavarde hors de la pièce.

— Excusez! dit-il simplement.

Brave Chanzy! Le patient voudrait le retenir, lui demander de plus amples renseignements, mais l'hôtelier, ce soir, est seul pour « faire sa caisse », donner un coup de nettoyage par terre et boucler les volets. Sa femme et les enfants sont allés se coucher. Lui-même en a, comme il dit, « plein les pattes ». Seul, Pierrot, qui dort sous l'escalier, sera là... pour les chambres.

— Alors, bonsoir, conclut Verlaine. Dors bien!

— Vous aussi, pareillement!

L'Auvergnat aurait pu se payer sur la liasse de billets et d'actions qu'il a trouvée dans la paillasse de Stéphanie ou, tout au moins, faire comprendre à Verlaine qu'il possède à présent de quoi lui verser un acompte. Non pas. Paul s'attendrit. Il compare les procédés de Vanier à ceux de son logeur et, tout à coup, palpant sous l'oreiller le magot, il l'extrait de sa cachette, l'étale devant lui, puis agrippe sur la table de nuit un vieux cahier bourré de feuilles volantes, de bouts de papiers graisseux, de prospectus froissés, d'articles de journaux, et le feuillette afin de découvrir une page où il pourra noter le montant de sa fortune. Ses doigts tremblent; néanmoins, il essuie les verres de son lorgnon, les fixe sur le nez et commence d'inscrire des numéros.

« Tout bénef! songe-t-il à la perspective de pouvoir, grâce à Chanzy, esquiver le paiement des droits de succession. Ni vu ni connu... »

La besogne terminée, Verlaine s'aperçoit que ses chiffres voisinent avec des vers et, machinalement, il se met à les lire. L'encre en est pâle, décolorée.

Ce soir je m'étais penché sur ton sommeil.
Tout ton corps dormait chaste sur l'humble lit,
Et j'ai vu, comme un qui s'applique et qui lit,
Ah! j'ai vu que tout est vain sous le soleil!

— Qui s'applique? constate le poète. Oui, plutôt. Et comment!

Cette strophe ne l'enthousiasme pas. Un vieux sonnet, conservé au hasard, parmi d'autres, pour un futur volume. Il vient même de paraître dans *Jadis et naguère*. Par conséquent, plus rien à en attendre. Verlaine va fermer le cahier quand, subitement, sa vue se trouble. Il se souvient de ce grand corps d'adolescent, étendu sur les draps, à Londres, dans un « garni » de Howland Street, au temps des pires scandales, des illusions, de la misère sordide mais insolente. Il poursuit, bouleversé :

Qu'on vive, ô quelle délicate merveille,

Et un nom jaillit de ses lèvres :
— Rimbaud!

CHAPITRE IV

Le soir de leur première rencontre, Rimb était là, tranquillement installé comme par défi aux convenances bourgeoises dans le salon de la rue Nicolet, où Mathilde, déformée par son ventre de femme enceinte, et Mme Mauté de Fleurville essayaient de l'apprivoiser en s'informant de sa famille, de ses projets, tandis qu'avec sa tignasse et ses énormes pattes, ses vêtements trop courts, quoique neufs, ses gros souliers, Arthur avait l'air sournois d'un jeune échappé de maison de correction. Rien n'indiquait qu'il fût l'auteur de ces vers extraordinaires que Verlaine lisait à tout le monde. Sa façon de regarder par-dessous inspirait de la gêne. Insolence ou timidité? On ne savait au juste... Et pourtant, ses yeux bleus — qu'il braquait tout à coup et conservait effrontément fixés sur ceux de ses interlocuteurs — possédaient une telle puissance d'irradiation qu'on ne pouvait la soutenir.

— Ah! Verlaine n'est pas là? s'était-il borné à grommeler lorsque Mathilde lui avait annoncé

que son mari devait être encore à la gare de l'Est
où il était allé à son devant. Tant pis! je vais
l'attendre.

La contrariété qu'il avait ressentie et qu'il ne
cherchait pas d'ailleurs à déguiser, surprit la
jeune femme par la soudaine violence que tra-
hirent ses prunelles.

— Asseyez-vous! proposa-t-elle en indiquant le
canapé.

Arthur s'y affalait à peine d'une masse, quand
la belle-mère de Verlaine parut : Mathilde lui
présenta Rimbaud qui, sans même esquisser le
mouvement de se lever, la gratifia d'un regard
vague et bougonna plusieurs mots inintelligibles.
Mme Mauté feignit de ne point attacher d'importance à un tel manque d'éducation. Elle
échangea toutefois un pâle sourire avec sa fille
puis, comme la pendule de la cheminée sonnait
la demie de sept heures, elle crut devoir faire
observer :

— Mon gendre ne va pas tarder à rentrer,
maintenant.

En effet, suivi du poète Charles Cros qui, lui
aussi, avait projeté de voir le « phénomène » dès
sa descente du train, Verlaine se précipitait,
quelques minutes plus tard, dans le salon de sa
belle-mère et s'exclamait :

— Ah ça! donc... où est-il? Où se cache-t-il?...

Rimbaud, cette fois, abandonna le canapé et
Mathilde put constater la soudaine et surpre-
nante douceur de son sourire. Paul en fut ébloui.

Planche I

VERLAINE A QUINZE ANS
par Cazals.

Planche II

AFFICHE POUR L'EXPOSITION DES 100
par Cazals (1894).

Un enfant! C'était presque un enfant qu'il avait devant lui, mais un enfant prodige, et si différent, physiquement, de l'image qu'il s'en était formée que — passée la première surprise — il se sentit honteux de l'accueillir dans ce décor bourgeois parmi toutes ces « horreurs », ces fanfreluches dont le contraste avec la mine inculte et contrainte du visiteur le saisissait de dégoût.

« Un grand garçon à la figure rougeaude, un paysan, note Mathilde. Il était arrivé sans aucun bagage. Son pantalon écourté laissait voir des chaussettes de coton bleu tricotées par les soins maternels. » Il fallait vraiment être femme pour remarquer, à ce détail, qu'Arthur possédait une maison, un foyer. Aux yeux de Paul, il avait plutôt l'air d'être tombé d'une « fauve planète », où rien ne pouvait, normalement, offrir de terme de comparaison avec les mœurs, les habitudes du milieu dans lequel il le découvrait. Forain, qui le connut alors, prétendait que Rimbaud ressemblait à « un grand chien ». Un chien perdu — voulait-il dire peut-être — coiffé, comme les briards, d'une touffe de poils balayée en coup de vent sur des yeux clairs, trop clairs, à l'expression presque inquiétante d'acuité. Tout devait suggérer en lui une soif de liberté, d'absolu, qui s'alliait mal avec la prétentieuse et médiocre apparence de ce salon puis, pour comble d'ironie, avec le cadre d'une salle à manger, où le globe de la suspension ne pouvait, tout au plus, sembler drôle qu'à l'idée de voler en morceaux.

Les biographes de Verlaine ne manquent jamais d'insister sur ce dîner au cours duquel Rimbaud, flattant le chien de la maison, aurait déclaré d'un air supérieur : « Les chiens sont des libéraux. » Pourquoi chercher un sens à cette phrase ? Déjà, il était trop tard pour changer quoi que ce soit aux événements. Rimbaud, sur un « bonsoir ! » à peine poli, peut prétexter la fatigue du voyage et se retirer dans la chambre qu'on a mise à sa disposition, une sorte d'accord tacite est conclu entre les deux hommes. Que, désignant par la suite Verlaine, Arthur laisse échapper : « J'ai aimé un porc ! », cela ne modifie en rien sa part de responsabilité dans le drame qui commence. Celle de Verlaine non plus. D'ailleurs, quel est le coupable ? On peut admettre que si Verlaine n'avait point écrit à Rimbaud : « Venez, chère grande âme, on vous attend, on vous admire ! », la « chère grande âme » serait restée à Charleville, au risque de se replier sur elle-même et de crever d'impuissance. Mais Verlaine pouvait-il ne pas répondre au poète des *Effarés*, de *Accroupissements*, des *Douaniers*, du *Cœur volé*, des *Assis*? Le mariage l'avait déçu. Son contact perpétuel avec sa belle-famille lui donnait la nausée : il étouffait dans ce milieu qui ne correspondait à aucune de ses aspirations. Sans Rimbaud, il était perdu. La chance a donc voulu qu'à cet instant critique pour lui, un gamin, un potache qui suffoquait par ses allures les habitants de sa ville natale, ait eu l'idée de lui soumettre ses élucubrations. Ceux à qui jusqu'alors Rimbaud s'était adressé n'étaient point désignés pour capter le message contenu dans ses vers. Ils n'appartenaient pas à la même race. Ils ne présentaient aucune affinité avec l'enfant terrible qui inscrivait au dos des bancs de la promenade : « Merde à Dieu! » en espérant, peut-être, que la terre cesserait de tourner. Pouvaient-ils, en dehors de la forme, comprendre quelque chose aux signaux de détresse lancés par ce garnement prodigieux? C'eût été trop leur demander. Mais Verlaine attendait, désirait anxieusement ce message. Il y allait pour lui de toute sa vie. Aussi, dès que Rimbaud paraît, le sort de Mathilde est réglé. Paul la repousse, elle et l'enfant qu'elle porte. Il a tout oublié de leur passé, pourtant récent, de leur amour. Sa rancune vient de loin, de très loin. Un vers d'Arthur la définit :

O la femme, monceau d'entrailles, pitié douce.

Verlaine ne veut plus de cette déshonorante pitié. Ses premières déceptions datent de l'adolescence. Il se souvient de l'espèce de passion qu'il vouait à Stéphanie, mais il se rappelle en même temps que cette passion n'a pas suffi à refréner l'immense besoin de s'abandonner — corps et âme — à un être d'élection. Un jeune cousin à la campagne, des amis de pension et même, plus tard, désespéré par les fiançailles de Paul, un « élégant et fin garçon à la tête charmante (celle de Marceau en plus beau) », qui s'est fait tuer à la guerre, ont pu jouer, au cours de ces années de crise, des rôles vraiment assez suspects, de « remplaçants », la voie est libre. Dans un certain café, une certaine table, à laquelle deux jeunes gens se sont souvent assis, est encore occupée le soir par un buveur pensif. Paul n'a rien oublié. « Sous le gaz criard, écrit-il, parmi le fracas infernal des voitures », ce buveur songe que les yeux du mort « luisent vaguement comme jadis », et que sa « voix grave et voilée » lui parvient, à travers son trouble, comme « la voix d'autrefois »...

N'accusons donc pas Rimbaud d'avoir voulu séduire Verlaine. J'inclinerais plutôt à croire — avec Porché — que c'est le contraire qui eut lieu. Aux mêmes problèmes, les mêmes solutions. Malgré l'alcool, malgré des amours dégradantes, Paul souffre d'un échec plus grave que celui qui, jadis, l'a jeté vers Mathilde. Sa laideur s'est accentuée : elle l'empêche d'être aimé pour lui.

> *O la Femme! Prudent, sage, calme ennemi,*
> *N'exagérant jamais ta victoire à demi,*
> *Tuant tous les blessés,...*

aurait-il pu déjà s'avouer à lui-même. Le seul espoir exige de s'adresser ailleurs, à celui pour qui le talent tient lieu de beauté. Et le destin met sur sa route Rimbaud qui, après avoir lu ses vers, éprouve l'impérieux désir de le connaître.

Quelle gratitude n'est donc pas celle de Paul
envers ce jeune garçon qui — par surcroît de
flatterie pour son amour-propre de poète —
possède plus que du talent : une manière de
génie! Sous de pareils auspices, on pouvait s'attendre à tout.

> Le roman de vivre à deux hommes
> 'Mieux que non pas d'époux modèles,...

Au lieu d'insinuer qu'un tel « roman » — et
les autres — se sont vulgairement bornés à des
« gamineries » ou à des habitudes de collège, les
amis de Verlaine feraient mieux de se taire.
C'est diminuer le poète que d'essayer de le cou-
vrir de leur indécente respectabilité. En quoi
vraiment celle-ci nous intéresse-t-elle? L'immense artiste frappé par la malédiction, le vieux
faune hilare et hideux, le clochard ivre et divin,
le frère spirituel de Villon et de Baudelaire, n'est
en rien responsable de certaines camaraderies
d'hôpital ou de bistro. Laissons-le seul porter sa
croix, sans permettre à quiconque d'intervenir.
Quant à ceux qui — d'un cœur blasé — con-
cèdent que les liaisons masculines de « Pauvre
Lélian » s'agrémentent des tares qu'elles comportent d'habitude, faisons-leur observer qu'il est
ici question d'un de nos plus grands poètes et
que, par conséquent, ses liaisons échappent —
ne serait-ce qu'en raison de l'exceptionnelle personnalité du sujet — aux vulgarités comme

aux raffinements dont on prétend les entourer.

Verlaine acceptait tout quand il rimait cette strophe :

> *J'ai perdu ma vie et je sais bien*
> *Que tout blâme sur moi s'en va fondre :*
> *A cela je ne puis que répondre*
> *Que je suis vraiment né Saturnien.*

Et — plus loin — ce poème, dont je m'excuse de ne citer que les deux premiers vers, établit des distances qu'on ne saurait trop méditer :

Ces passions qu'eux seuls nomment encore amours
Sont des amours aussi, tendres et furieuses,

Nous aimons mieux Verlaine ainsi. Il est plus grand.

⁂

D'ailleurs, est-ce que Rimbaud, en signalant à son professeur Izambard les *Fêtes galantes,* ne découvrit pas en Verlaine l'un des rares animateurs qui le révélèrent à lui-même? Sa lettre est datée du 26 août 1870. « L'époux infernal » avait à peine seize ans.

« C'est fort bizarre, très drôle, écrivait-il, mais vraiment, c'est adorable. Achetez, je vous le conseille... »

Lui qui griffonnait tout enfant, dans son cahier de devoirs, ces lignes « horribles », est alors touché par la grâce :

« Pourquoi apprendre du grec, du latin? Je

ne sais. Enfin on n'a pas besoin de cela. Que
m'importe à moi que je sois reçu? A quoi cela
sert-il d'être reçu? A rien, n'est-ce pas? Si, pourtant : on dit qu'on n'a une place que lorsqu'on est
reçu. Moi, je ne veux pas de place — je serai
rentier. Quand même on en voudrait une, pourquoi apprendre le latin? Pourquoi apprendre et
de l'histoire et de la géographie? De l'histoire!
Apprendre la vie de Chinaldon et de Napopo-
lassar... et de leurs autres compères remarquables
par leurs noms diaboliques, est un supplice. Que
m'importe à moi qu'Alexandre ait été célèbre?
Que sait-on si les Latins ont existé! C'est peut-
être, leur latin, une langue forgée : et quand
même ils auraient existé qu'ils me laissent
rentier et conservent leur langue pour eux... »

Voilà pourtant le trait dominant de sa nature :
le refus de souscrire aux conventions établies
avant lui ou sans lui, de se plier aux lois, à la
morale courante. Même l'amour, il n'en veut pas.
On lui doit cette déclaration : « L'amour est à
réinventer! » C'est sa façon de prouver qu'il
existe. Il s'affirme par la négation jusqu'au jour
où, soudain, son génie éclate. Provient-il de la
même crise qui détermina chez Verlaine une
transformation à peu près complète de son individu moral? Possible car, la crise terminée, le
prodigieux feu d'artifice qu'elle fit flamber dans
le cerveau de cet enfant s'éteint. Le météore
s'abîme dans la nuit.

Verlaine avait donc raison, le premier soir, de

contempler Arthur comme s'il était tombé de
Saturne. Néanmoins, ne lui prêtons pas la pensée
de profiter aussitôt de l'aubaine. Jusqu'à preuve
du contraire, je me refuse à croire que la rencontre de ces deux êtres ait manqué d'innocence,
de spontanéité. Tout autre que Rimbaud, en faisant irruption dans la vie de Verlaine, aurait dé-
terminé le même bouleversement. Mais ce n'est
pas un autre, précisément. C'est Rimbaud qui
débarque, qui s'installe rue Nicolet et qui — par
méchanceté pure — commence par briser systé-
matiquement les « objets d'art ». Exprès.

Nous en tenons l'aveu de Mathilde. Or, cet
exprès explique tout. Comment, quelqu'un osait
semer le désordre et la consternation dans l'âme
de la « petite épouse » et de sa chère maman!
Et ce quelqu'un était Rimbaud! Décidément, les
choses allaient plus vite que Paul ne se fût permis
de le souhaiter.

L'enfant rieuse au penser grave,

ne riait plus. Quant à M. Mauté de Fleurville,
s'il avait tardé huit ou dix jours de plus à revenir
de Normandie, où il chassait le lapin, il se serait
trouvé en présence de deux femmes éplorées
par la disparition de son gendre. La fuite était
dans l'air. A défaut de Paul, Arthur avait quitté
la rue Nicolet, et ce départ ne faisait guère que
précéder de quelques mois celui de Verlaine qui,
littéralement envoûté par son nouvel ami, se
comportait envers Mathilde avec une brutalité

que la conduite de la jeune femme ne justifiait
— on doit le dire — en rien.

Etait-ce sa faute si, dans ses rapports conju-
gaux, elle n'avait procuré à Paul aucune des joies
qu'il escomptait? L'infortunée n'en pouvait mais.
Nul n'arrive, en effet, aussi vite qu'un infirme ou
qu'un être mal partagé par la nature à oublier
ses tares, pour peu qu'on lui ait fourni la preuve
qu'elles ne comptent pas. Et, par une sorte d'iné-
luctable loi, nul ne sait, comme ces mêmes êtres,
exercer de plus odieuse tyrannie sur ceux dont
ils attendent une transformation totale de la vie.
Pas question de laideur entre Paul et Arthur.
L'un et l'autre communient en une extase où les
âmes seules s'unissent dans l'absolu. Il en eût
été autrement, Arthur, qui possédait à un degré
quasi frénétique le sentiment des formes, de
l'harmonie, du rythme et de la perfection, n'aurait
pu concevoir que Verlaine émît la prétention
d'en arriver à certaines fins. L'ivresse aidant et
l'amour, la provocation du scandale, les deux
compères s'entendaient à merveille pour « épater » le monde entier, en commençant par eux,
ou plutôt par Verlaine, car Rimb, comme il
l'appelait, passait dans ce domaine tout ce qu'on
pouvait souhaiter. Ses façons de rire « à la
muette » ou de pleurer au commandement ahu-
rissaient toujours son compagnon. Celui-ci, très
souvent, n'en osait pas plus croire ses yeux que
ses oreilles. A tel point qu'un beau jour, décou-
vrant Rimb étendu, rue Nicolet, dans la cour où

il dormait profondément, il conçut une si vive inquiétude d'en arriver peut-être là, lui-même, qu'il se sentit choqué.

Tout ceci se déroule dans un Paris de fiacres, d'omnibus à impériale, de becs de gaz falots et clignotants, de chevaux de renfort rongeant l'écorce des arbres, de collignons à hauts-de-forme en cuir bouilli, un Paris où la neige en hiver tombe d'abondance et où, l'été, les branches répandent sur le macadam une ombre épaisse, tandis que des senteurs d'absinthe s'échappent des cafés. Lautrec peint ses danseuses au bal du Moulin-Rouge, ses pierreuses en cheveux, ses alphonses et ses filles de « maison ».

Dans les brasseries de la place Pigalle où les rapins choisissent leurs modèles, la fille qui a posé pour *Olympia* de Manet ingurgite un tel nombre de petits verres de cognac qu'on ne sait plus si elle doit sa célébrité au chef-d'œuvre qu'elle vient d'inspirer ou à son ivrognerie. Messieurs en tubes, cocottes empanachées à dessous froufroutants sembleraient aujourd'hui singulièrement démodés. Et il n'est pas jusqu'aux souteneurs avec des casquettes à pont, des rouflaquettes, des pantalons à patte d'éléphant, de petites vestes courtes et un mouchoir tressé autour du cou, comme une espèce de nœud coulant sinistre, qui ne nous donnent actuellement la double impression de personnages d'opérette et de mélo.

Parmi cette foule bruyante et bariolée, où les

barbes et les cheveux longs des peintres, les
feutres à larges bords, les cravates lavallière des
chansonniers, les boas, les « bibis » à fleurs et
à plumets, les manches-gigots, les robes à tour-
nure des femmes apparaissent, dans la fumée
des pipes et la lumière laiteuse des globes de
verre blanc dépoli, imaginez la redingote sévère,
le pantalon de nankin, le col carcan, le gibus de
Verlaine et, près de lui, les coudes fichés sur le
marbre d'un guéridon, le regard fixe, le front au
creux de ses énormes mains, Rimbaud tout
hébété encore par la cuite de la veille. Il avait
une méthode dont il exigeait que Paul se péné-
trât et qui consistait dans un « long dérèglement
de tous les sens ».

Le supplice est sûr!

clamait-il, ou encore :

« Un soir, j'ai assis la Beauté sur mes genoux.
Et je l'ai trouvée amère. Et je l'ai injuriée. »

Verlaine, qui souscrivait d'avance aux caprices
de son compagnon, ne savait plus où cela le
mènerait. Il pressentait qu'Arthur avait raison et
qu'il se devait de le suivre. Ses vers, à lui, n'exis-
taient pas à côté de ceux de Rimbaud : il leur
manquait cette mystérieuse phosphorescence qui
émanait du jeune prodige comme d'un métal
magique en voie de transmutation. Qu'il conti-
nuât, d'après *La Bonne Chanson*, à moduler une
« plainte exquise », son sort était fixé. Il
ne serait qu'un poète de second ordre, subtil-

mais limité, plein d'effusions, de frissons tendres, de charme flou, tandis que Rimbaud annon-
çait pour mettre tout en place : « Voici le temps
des assassins !... » et qu'en lui-même, afin de ne
point trop déchoir aux yeux de ce « voyant » à
la « tête d'enfant dodue et fraîche sur un grand
corps osseux, comme maladroit d'adolescent »,
Verlaine (qui le présentait à tous les « pisseurs
de copie » et à tous les « salueurs de morts »
constituant le cercle de ses relations) se récitait
ces vers des *Fleurs du mal* :

> *Je te frapperai sans colère*
> *Et sans haine, comme un boucher.*

Mais soudain il pensait à Mathilde et, bien
qu'il eût au fond l'intention de l'épargner, il finissait par reconnaître que c'était impossible, qu'il
fallait qu'elle souffrît.

**
* **

Où trouvons-nous, jusqu'à présent, du moins
dans ses poèmes, trace de

Ces passions qu'eux seuls nomment encore amours?

Elles n'ont pu s'établir que par surprise, grâce
à la complicité de l'alcool ou — peut-être — à
la faveur d'une réprobation stupide, qui loin de
décourager les deux hommes, eut pour effet de
les unir plus étroitement.

Il possédait, ce couple, tout ce qui manque à
la plupart des autres, mais réellement

> *Tout, la jeunesse, l'amitié,*
> *Et nos cœurs, ah! que dégagés*
> *Des femmes prises en pitié...*

Verlaine est habile à ces sortes d'insinuations.
Néanmoins, le juger d'après elles, serait aussi
vain que de prendre à la lettre les mots, les expressions de sa correspondance, dont la vulgarité, le « style potache » conviennent mal à ce
prestigieux artiste qui, le même jour, sans doute
où il comparait la Tamise à « un immense gogue-
not qui déborde », composait le poème exquis :

Voici des fruits, des fleurs, des feuilles et des branches,
Et puis voici mon cœur, qui ne bat que pour vous.

Le véritable Verlaine, celui qui demeure le
poète unique de notre temps, c'est dans ses vers
qu'il apparaît et non dans sa lamentable odyssée,
parmi l'ordure où il se vautre, l'affreuse misère
où il patauge. Ses lettres ne prouvent rien. Il y
avait en lui (comme le cas est fréquent) plusieurs individus qui se substituaient l'un à l'autre
selon les circonstances. L'erreur consiste à vouloir
les amalgamer en un seul être, à ne pas tenir
compte des refoulements dont ils ont été les
victimes et dont les réactions sont parfois si dé-
concertantes qu'on ne peut guère, pour les comprendre, que soupirer avec Gaspard Hauser :

> *Je suis venu, calme orphelin,*
> *Riche de mes seuls yeux tranquilles,*
> *Vers les hommes des grandes villes :*
> *Ils ne m'ont pas trouvé malin.*

en se rappelant la *Ballade du concours de Blois,* où François Villon s'écriait :

> *Je meurs de seuf auprès de la fontaine,*
> *Chault comme feu et tremble dent à dent,*
> *En mon païs suis en terre loingtaine...*

comme s'il attendait qu'un jour quelqu'un lui donnât la réplique.

Quoi qu'il en soit, ce fut alors que Verlaine adressa les lignes suivantes à Lepelletier :

« Mon cher Edmond,

« Je « voillage » vertigineusement. Ecris-moi par ma mère qui sait à peine « mes » adresses, tant je « voillage ». Ça parviendra — ma mère ayant un aperçu vague de mes stations... psitt! psitt! — Messieurs en wagon! »

Et de son côté, Mathilde, les yeux pleins de larmes, déchiffrait la lettre d'adieu qui contenait ces mots :

« N'aie pas de chagrin, ne pleure pas!... »

CHAPITRE V

La preuve de cette complexité, de cette dupli-
cité, vient de nous être fournie par un document
que M. Bernard Deshaches analyse dans *L'Age
nouveau*. Elle se rattache à la période qui s'étend
de la sortie de la prison de Vouziers (fin mai
1885) à l'apparition du poète, en septembre, cour
Saint-François. On avait perdu sa trace. Des
quelques renseignements dont on disposait, on
pouvait entendre que, durant ces quatre mois,
Verlaine avait erré sur les grand'routes, en
vagabond. Même lacune dans la vie de Villon,
entre le cambriolage du collège de Navarre et
la présence du pauvre hère, trois ans plus tard,
dans les geôles d'Orléans. Ce rapprochement
n'est nullement gratuit. Toutefois, Villon risquait
la corde, tandis que l'autre n'a jamais encouru
de peine qui pût faire trembler pour sa vie. Son
incarcération à Mons lui fut même profitable.
Il sortit de prison « purifié, on pourrait dire *remis
à neuf* », comme le fait observer si justement

Jean Aubry, et l'on se demande, devant les béné-
fices tout au moins spirituels que Verlaine retira
de ce séjour forcé dans le « plus beau des châ-
teaux », si Pauvre Lelian, en dépit de son indi-
gnité, ne jouissait pas d'une sorte de protection
divine qui, toujours, au moment critique, interve-
nait en sa faveur.

En effet, un de ses camarades d'enfance, l'abbé
Dewez, avait été nommé, en 1881, curé de
Corbion, gros village des Ardennes belges. Sa
sœur de lait, qui habitait le presbytère, se souvient parfaitement d'avoir vu Verlaine dans le
pays. Elle précise même qu'il commençait à souffrir des jambes et que l'une d'elles « coulait ».
Or, en 1885, Verlaine se trouvait encore sous le
coup d'une interdiction de séjour en Belgique
et c'est sans doute pour cette raison que l'abbé
ne recevait que tard et en cachette, son ancien
compagnon et qu'il poussait la précaution jusqu'à
lui ouvrir personnellement la porte et à le recon-
duire ensuite jusqu'à la rue.

Son aîné de trois ans, le prêtre n'avait pas
oublié qu'au temps lointain des grandes vacances
(il les passait à Paliseul où la tante de Verlaine,
Mme Granjean, recevait l'enfant) tous deux
couraient à travers champs ou s'amusaient dans
le parc du château.

« Un joli site que Paliseul, pays haut perché,
plein de jardins! » indique Verlaine dans ses
Croquis de Belgique. Et il insiste :

« Bon Dieu! que j'y ai joué et couru, et gam-

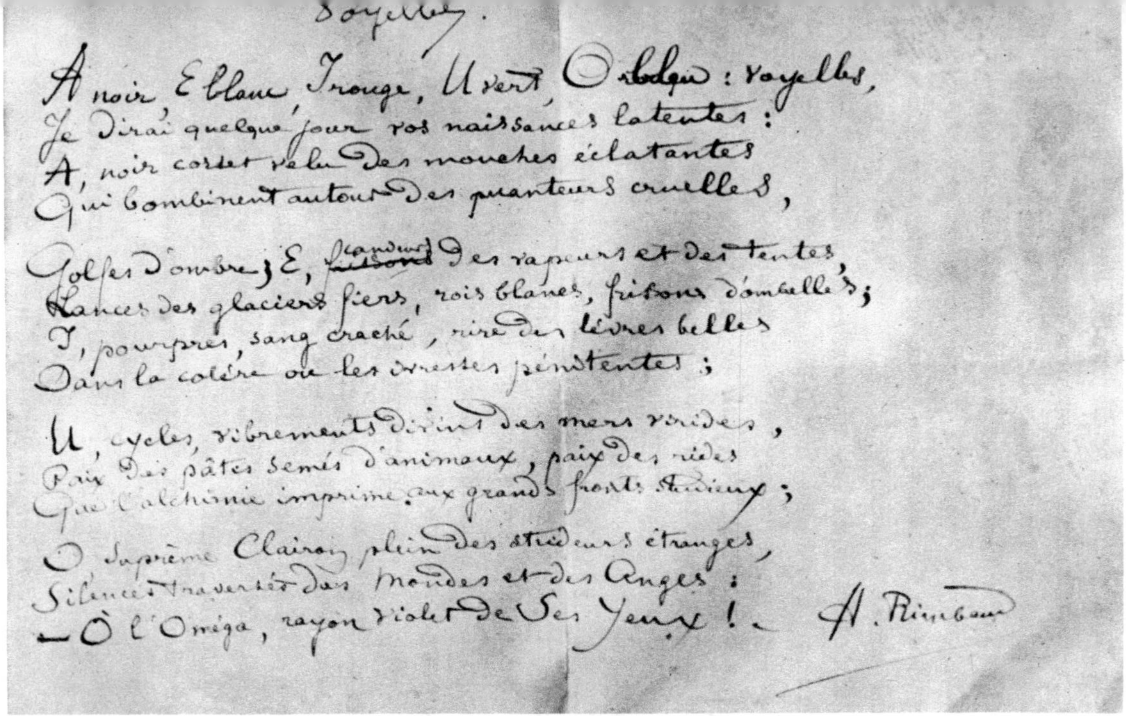
Voyelles.

A noir, E blanc, I rouge, U vert, O bleu : voyelles,
Je dirai quelque jour vos naissances latentes :
A, noir corset velu des mouches éclatantes
Qui bombinent autour des puanteurs cruelles,

Golfes d'ombre ; E, ~~frissons~~ candeurs des vapeurs et des tentes,
Lances des glaciers fiers, rois blancs, frissons d'ombelles ;
I, pourpres, sang craché, rire des lèvres belles
Dans la colère ou les ivresses pénitentes ;

U, cycles, vibrements divins des mers virides,
Paix des pâtis semés d'animaux, paix des rides
Que l'alchimie imprime aux grands fronts studieux ;

O suprême Clairon plein des strideurs étranges,
Silences traversés des Mondes et des Anges :
— O l'Oméga, rayon violet de Ses Yeux ! —   A. Rimbaud

Planche III

LE MANUSCRIT DU SONNET DES " VOYELLES "

d'Arthur Rimbaud.

L'original appartient à la Maison de Poésie.

Planche IV

VERLAINE
par Cazals (1894).

badé et lutté principalement avec un futur sémi-
nariste, aujourd'hui curé dans les environs! »

Or Verlaine possédait l'adresse du bon curé
et, à plusieurs reprises, il ne manqua point de
s'en souvenir pour solliciter soit un prêt, soit un
secours, voire une petite aumône. Mais, de tout
cela, pas un mot. Si prolixe que soit le poète sur
certains événements dépourvus d'intérêt, il se
garde de la moindre allusion aux « carottes »,
comme il dit, tirées à son ancien compagnon de
vacances et lorsqu'en 1888, au temps de sa noire
détresse, il apitoie sur son sort Léon Bloy en lui
communiquant une lettre où l'abbé propose de
l'héberger « quarante jours », il ne va pas plus
loin dans ses confidences. Quarante jours, loin
de Paris, à l'abri des pires tentations, et chez
un prêtre !... C'était le salut pour Verlaine. Poussé
par sa nature bouillante, Bloy rappelle aussitôt
sa promesse à l'abbé. Cependant, avant de mettre
Paul dans le train, il « faudrait payer ses dettes
à l'hôtel et le munir de quelques indispensables
effets de toilette. Bref, il s'agit de dénicher une
somme de deux cents francs. Nous sommes à peu
près sûrs de lui faire la moitié. Pouvez-vous faire
l'autre ? »

Pas de réponse. Et, pourtant, « s'il arrive, par
la grâce de Dieu, qu'il vous soit possible — avait
mentionné Bloy — de sacrifier au salut de cet
illustre pauvre une centaine de francs, il serait
dangereux de la lui envoyer. *Ce serait frotter de
sang le museau du tigre.* »

L'abbé Dewez était malade. Il n'avait ni le temps ni la force de s'occuper de Verlaine, et celui-ci — loin de mettre au courant son impétueux intercesseur des rapports qu'il entretenait avec le saint homme — autorise par son mutisme le pamphlétaire à conclure que le curé de Corbion est « un de ces prêtres qui haïssent le pauvre et qui lui font détester Dieu ». Bien plus, Bloy menace l'ecclésiastique de flétrir sa conduite dans une revue belge et de faire parvenir un exemplaire de l'article à l'évêque. Il termine sur cette gentillesse :

« Vous auriez pu dissimuler davantage, monsieur le curé, et surtout considérer avec équité qu'il était au moins inutile d'ajouter l'outrage le plus vil au déni de votre promesse. »

Pas un instant, Verlaine n'a pris la défense du malheureux dont la mort devait survenir cinq mois plus tard, ni prié Léon Bloy de modérer au moins ses expressions. Une telle attitude a quelque chose de monstrueux. Verlaine devait savoir qu'en lui venant à l'aide dans sa propre paroisse, le prêtre s'exposait à des poursuites. Mais non. Il a fallu, pour que l'on découvrît la vérité, qu'après avoir publié dans les *Cahiers Léon Bloy*, le brouillon de trois lettres à l'abbé, le directeur, M. Joseph Bollery, eût l'idée de s'adresser à l'un de ses abonnés belges. Et le plus surprenant fut que cet abonné, M. Franz Muller, put « interroger longuement le seul témoin encore vivant : Mlle Dewez, demi-sœur de l'abbé, ac-

tuellement âgée de soixante-dix ans, et qui a
habité le presbytère de Corbion, de 1881 à 1887 ».

On voudrait oublier de pareilles turpitudes, les
effacer de sa mémoire et se laisser bercer uniquement au rythme d'un de ces *Paysages belges*,
si doux, si nuancés :

> *Vers les prés le vent cherche noise*
> *Aux girouettes, détail fin*
> *Du château de quelque échevin,*
> *Rouge de brique et bleu d'ardoise,...*

Mais comment y parviendrait-on? Surtout
lorsque M. Franz Muller, à qui nous devons ces
révélations, ajoute qu'à l'époque « Verlaine était
établi à Corbion avec une femme et les enfants
de celle-ci, à l'entrée du village, sur la route de
Sedan. Faisait-il passer ces enfants pour les
siens? Voulait-il apitoyer davantage le curé
Dewez? En tout cas, Mlle Dewez se rappelle
qu'un jour, après avoir sermonné un de ces enfants — qui fréquentait l'école catholique —
l'abbé Dewez ajouta : « Il ne vaut pas mieux que
son père! »

Saurons-nous jamais le nom de la concubine
de Verlaine et l'origine des enfants? Dans quelle
mesure auraient-ils pu revendiquer la paternité
du poète? La chance de ce dernier fut qu'alors
nul ne se doutait de la gloire qui allait s'attacher

à son nom. Mais cette femme, et ces mioches, et
cette maison qu'ils habitaient en tas, ce refuge
solitaire, à l'entrée du village, presque au milieu
des champs, parviendra-t-on à les imaginer tels
qu'ils furent? Verlaine couchait sans doute dans
la même pièce que la mère et sa marmaille.
Toutes les petites villes de province possèdent
une cabane de ce genre, bâtie à l'écart et qu'occu-
pent d'habitude des tâcherons, des chemineaux.
Aux fenêtres, des vitres manquent; certaines sont
remplacées par des cartons, d'anciens calendriers.
La pluie traverse la toiture, le poêle ou la cheminée fume, le vent passe sous les portes.

Comparée à la prison de Vouziers, cette
bicoque, certainement, offrait moins de confort,
mais elle présentait l'avantage d'être ouverte à
toute heure du jour ou de la nuit.

O poète, faux pauvre et faux riche,...

Riche de quoi? Le malheureux! Sa mère, qui
l'avait attendu à la sortie de la prison de Mons,
n'est pas venue, cette fois. Paul hausse les
épaules. Il a tout le temps de la joindre. Le plus
pressé, pour le moment, est de se rendre chez
le notaire de Juniville et d'essayer d'y toucher
une partie de l'argent restant dû sur la vente de
la ferme qu'il avait autrefois achetée dans le
pays. Le soleil tape. Comme tous les libérés, Verlaine se sent ivre non pas de vin blanc, mais
plutôt d'une bouffée de grand air, de nature. Et

puis, tout de même, un verre ici, un verre plus
loin... Paul a envie de chanter. Il lance des
cailloux aux moineaux. Le gourdin, qu'il n'a pas
manqué de se confectionner chez le mastroquet,
lui permet de fouailler à grands coups les buis-
sons. Pourtant, à son approche, les visages se
ferment, les yeux se détournent, des chiens
aboient. Quel est ce trimardeur au pardessus de
« monsieur », avec de la fourrure aux manches
et au chapeau haut-de-forme? Des garnements
lui emboîtent le pas. Deux ou trois l'ont reconnu :
« Mais, c'est le type qui paye à boire! » se disent-
ils. Et, soudain, le plus effronté, lui décoche,
d'une voix de mue :

— Ben, m'sieur Verlain', vous offrez-t-y la
goutte?

— Pas un rond, mon garçon! répond le poète.

Guidé par l'habitude, il entre cependant dans
le premier « bouchon » qu'il découvre sur la
route et s'approche du comptoir. La salle est
fraîche, déserte. Une fade odeur d'évier arrive
de la cuisine d'où, brusquement, surgit — sans
bruit — un gros homme en chausson. Verlaine a
chaud : il s'éponge le crâne.

— Tiens donc, c'est vous? dit le cabaretier.
Ça va-t-y?

— Mal!

L'autre croit à une plaisanterie.

— Pour le savoir, riposte-t-il finaud, faut
d'abord essayer.

— Alors, un marc. Mais tu sais, je ne paye pas!

— Dame! mourir et payer, on a toujours le temps... pas vrai?

— Trinquons!

— C'est pas de refus.

« L'eau-de-vie d'Aisne, marc de bas Champagne, rit bleuâtre dans les gros petits verres », devait noter plus tard Verlaine dans ses *Confessions.*

Effectivement, elle a comme un reflet jovial, presque innocent, et le poète rit à son tour.

— Alexis, annonce-t-il, je suis chez toi dans la maison d'un ami; aussi regarde (il retourne ses poches vides) je ne te prends pas en traître.

— Vous réglerez la prochaine fois.

— C'est ça, la prochaine fois, dit Verlaine, radieux.

Et, sentant tout à coup que la chance l'accompagne, il ordonne en levant son verre :

— Prête-moi quinze francs!

La journée s'annonce bien : on aurait dit qu'à travers des raccourcis, Paul avait rejoint, sur la grand'route, son aïeul, le roulier. Certainement, en fonçant droit devant lui dans la direction d'Attigny, il finirait par récolter les quelques francs indispensables à son parcours en chemin de fer jusqu'à Juniville. D'auberge en cabaret, la vie est belle. Paul a d'ailleurs offert tant de tournées, jadis, dans la région, qu'une fois sur cinq les tenanciers l'accueillent comme s'il était solvable. Vers le soir, un forain qui le regarde passer près de sa roulotte, le reconnaît : c'est un marchand de balais qui « tire » également le portrait des villageois devant une toile de fond, attachée par des cordes à deux perches, en plein air et dont le décor représente un somptueux salon. Verlaine s'arrête, s'assied sur les marches de la voiture et, sans façon, accepte une écuelle de soupe.

— C'est ce qui s'appelle tomber à pic, constate l'homme. Mais où diable allez-vous, monsieur Verlaine?

— Par là, répond le voyageur.

Des trois thunes qu'il a empruntées, il lui reste une douzaine de francs. Le soir tombe; des fenêtres s'éclairent. On entend un roulement de tambour, les claironnements d'un orgue, des pétarades accompagnées de cris.

— La fête, mentionne laconiquement le forain.

Des carrioles chargées de campagnards en blouse dont les plus jeunes ou les plus ivres souf- flent dans des mirlitons, débouchent au petit trot sur la route blanche que les lanternes éclairent. Verlaine hume sournoisement cette atmosphère de kermesse. Il se lève : le forain donne un tour de clef à la serrure de sa roulotte, et les deux hommes se dirigent vers la place du village.

Tournez, tournez, bons chevaux de bois,
Tournez cent tours, tournez mille tours,
Tournez souvent et tournez toujours,...

— Si t'acceptes, dit alors le photographe-marchand de balais, que la gentillesse du poète enhardit, y a place pour toi dans ma bagnole.

On sait la suite. Les douze francs que Verlaine gardait dans une poche pour son billet de chemin de fer furent vite entamés.

— Laissez donc, m'sieur Verlaine! avait beau protester le forain.

L'autre tenait à régler son écot. Un vague café-chantant accueille les compagnons. Paul qui rit aux anges, hèle à chaque tournée le garçon en assenant des coups de gourdin sur la table ou bien il applaudit avec tant d'insistance les artistes que ceux-ci doivent parfois attendre qu'il se calme pour continuer leur numéro. Des voisins en restent pantois. Néanmoins, dans la salle, plusieurs godelureaux que ces manières importunent tentent d'imposer silence à l'ivrogne et se consultent sur la façon de le corriger à la sortie.

Verlaine a décrit cette soirée.

> Ce piano dans trop de fumée
> Sous des suspensions à pétrole!
> Je crois, j'avais la bile enflammée,
> J'entendais de travers ma parole.
>
> Je crois, mes sens étaient à l'envers,
> Ma bile avait des bouillons fantasques.
> O les refrains de cafés-concerts,
> Faussés par le plus plâtré des masques!

Dans des troquets, comme en ces bourgades,
J'avais rôdé, suçant peu de glace.
Trois galopins aux yeux de tribades
Dévisageaient sans fin ma grimace.

Je fus hué manifestement
Par ces voyous, non loin de la gare,
Et les engueulai si goulûment,
Que j'en faillis gober mon cigare.

Quelle muffée, mille dieux! Il y avait longtemps que le poète ne s'en était offerte une
pareille. Cependant, le lendemain, Paul s'éveil-
lait la tête lourde dans la roulotte et constatait
que les douze balles avaient disparu.

— Prends toujours ça, grogna le forain en
extrayant un demi-louis de son énorme porte-
monnaie. J'ai pas autre chose, mais c'est de bon
cœur.

— All right!

Verlaine happa la pièce, la fit sauter dans le
creux de ses mains, puis, tout à coup, très
« hidalgo » :

— Muchissimas gratias! dit-il. Des types
comme toi, c'est bath aux pommes. Salut!

*
**

A la même heure, une foule immense et re-
cueillie escortait jusqu'au Panthéon la dépouille
de Victor Hugo. Verlaine y songea brusquement.

— Avec son corbillard des pauvres! dit-il en hochant la tête. Cabotin!

Un quatrain que l'illustre défunt avait écrit, durant le Siège, lui revint à la mémoire. Hugo le récitait à ses intimes :

> Je lègue au pays, non ma cendre,
> Mais mon bifteack, morceau de roi.
> Femmes, si vous mangez de moi,
> Vous verrez comme je suis tendre!

— Oui, tu parles!... un vieux dur à cuire! grogna Verlaine en prenant son billet au guichet.

L'employé attendait qu'il indiquât le nom d'une gare.

— Donnez-m'en pour dix francs! annonça le poète, ça me mène où?

— Au Châtelet, répondit l'autre.

— Et du Châtelet à Juniville... C'est loin?

— Quatre kilomètres.

Verlaine passa sur le quai, traînant la jambe. Sa cuite de la veille réveillait des douleurs.

— Ah! bah! fit-il, cédant soudain à sa nature optimiste. Heureusement, il ne pleut pas.

Et il se souvint que, toujours, pendant le Siège, « papapa », comme on l'appelait, s'était écrié, un dimanche : « Je sais de quelle façon les choses se termineront. Je sortirai de Paris, je me dirigerai vers les lignes allemandes, où l'on me sommera de m'arrêter. Naturellement, je poursuivrai ma route. Les Prussiens tireront, ils me tueront, puis, se penchant sur mon cadavre et com-

prenant leur crime, ils s'enfuiront, épouvantés.
La guerre sera finie!...

— Finie?... Pour vous! avait fait observer un
ami.

Verlaine sourit en se rappelant cette réplique
et se hissa dans un compartiment de troisième
classe. Lui aussi — et comment — « voillageait »
tel un pauvre! Mais un vrai pauvre... un gueux.
Seulement, personne — pas même le chef de
gare — n'était là pour le saluer... ni surtout pour
compléter, par un don de quelques francs, la
somme qui lui aurait permis de ne point « s'envoyer à pinces » la dernière partie du trajet.

CHAPITRE VI

Dans le fond, il pardonnait mal à Hugo sa lettre
du procès de Bruxelles, au moment de l'affaire
Rimbaud. Ce n'était point de morale que l'inculpé
avait alors besoin, mais d'influence, de protection, et l'autre n'avait pu, selon son habitude,
s'empêcher de pontifier. « Mon pauvre poète,
avait-il répondu à l'appel angoissé de Paul, je
verrai votre charmante femme et lui parlerai en
votre faveur au nom de votre doux petit garçon.
Courage et revenez au vrai. » Ce « revenez au
vrai » exaspérait encore Verlaine qui pensait que
cette phrase lui avait valu d'écoper deux ans et
deux cents francs d'amende. Un rien ! Hugo aurait
dû se remémorer qu'au temps de son exil, Verlaine avait été le voir, précisément à Bruxelles.
Oh ! la la ! Ce qu'Hugo s'en foutait. Lui, d'abord !
Les autres pouvaient se débattre entre les griffes
des argousins, des juges... Quelques lignes cou-
rageuses eussent pourtant tiré Verlaine d'affaire
ou, tout au moins, il le croyait. Le soir du

coup de feu qui l'avait atteint à la main
gauche, Rimbaud s'était montré moins dur
que le grand homme. Mais, hélas! en dépit
de sa déclaration au commissaire Delhalle,
on avait retenu la « poursuite à charge du nommé
Verlaine Paul, en logement rue des Brasseurs,
N⁰ 1, prévenu de blessures au moyen d'un ré-
volver, sur le nommé Rimbaud Arthur, homme
de lettres. »

Paul se revit debout, dans une salle du poste
de police, attendant fébrilement son tour d'être
questionné. Il y avait une semaine qu'il était à
Bruxelles, en proie à une exaltation voisine de
la démence. Sa vie avec Rimbaud, à Londres, ne
pouvait plus durer : ce n'était plus une existence,
mais une suite ininterrompue de saoulographies
formidables, de cris, de larmes, de coups de
poing et de couteau, au cours de leurs vagabon-
dages de Whitechapel au Soho, dans des quartiers
misérables « où sévit plus qu'ailleurs encore ce
que Poe appelle l'incomparable maladie de
l'alcool ».

« Ils habitaient — nous apprend Jean Aubry
— dans Howland Street, au bout de Tottenham-
Court road, vers Marylebone, une maison de
style Adams, aux fenêtres hautes, ornementées
d'une façon un peu arabisante », et la route était
longue de cette rue jusqu'à London Bridge. « Il
fallait traverser le Soho, Leicester square, le
Strand et la Cité où les tentations étaient nombreuses dans les bars », du fond desquels parve-

naient des airs de gigue « rythmés par quelque *barrel-organ,* tandis qu'il pleuvait sur la ville ».

Si Arthur avait alors feint de comprendre les remords qu'éprouvait Verlaine pour avoir abandonné sa femme et son enfant! Mais non. La vérité — Paul s'en apercevait trop tard — était que Rimbaud ressentait un plaisir sadique à voir le mal qu'il avait fait. La perversité-née, que ce garçon! Et, pour combler la mesure, paresseux comme un loir, dégoûté du travail, insolent, bon à rien!

« Le travail est plus loin de moi que mon ongle l'est de mon œil », avait-il déclaré une fois pour toutes au début de leur liaison. Aussi, lorsque « la dèche devenait pire », les deux amis, au lieu de chercher du travail, prenaient leurs repas dans la chambre. Verlaine faisait le marché. Il était donc allé, ce matin-là, aux provisions, et rapportait un hareng dans une main et, dans l'autre, une bouteille d'huile. Rimbaud fumait sa pipe : il regarda flegmatiquement Paul refermer la porte derrière lui et, sans même ébaucher le geste de l'aider à se débarrasser, il constata : « Bobonne, ce que tu peux, tout de même, avoir l'air c... avec ton poisson et ton litre! » C'était là le genre de ses plaisanteries et, vraisemblablement, Verlaine ne s'en serait pas formalisé si, depuis quelque temps déjà, la menace du procès en séparation que lui intentait sa femme, ne l'avait rendu nerveux, soupçonneux, irritable. L'idée que Mathilde pouvait obtenir cette séparation l'angoissait. Rimb le savait. Il voyait que Paul avait les pires ennuis. Et, pour le réconforter, il ne trouvait que cette apostrophe grossière.

— Ah! vraiment, j'ai cet air? s'était soudain écrié Paul. Eh bien! nous allons voir comment tu te tireras d'affaire, seul.

Et, laissant Rimbaud sans un sou, il avait aussitôt bondi hors de la chambre, s'était précipité vers l'escalier pour arriver bientôt essoufflé dans la rue et gagner à toutes jambes le quai d'où partait le bateau d'Anvers. La scène remontait au jeudi, 3 juillet 1873. Le 4, Paul était à Bruxelles. Une lettre rédigée en mer devait renseigner Arthur.

« Mon ami,

« Je ne sais si tu seras encore à Londres quand ceci t'arrivera. Je tiens pourtant à te dire que tu dois, au fond, comprendre enfin qu'il me fallait absolument partir, que cette vie, violente et toute de scènes sans motif que ta fantaisie, ne pouvait m'aller foutre plus.

« Seulement, comme je t'aimais immensément *(Honni soit qui mal y pense!)* je tiens aussi à te confirmer que si, d'ici trois jours, je ne suis pas r' avec ma femme dans des conditions parfaites, je me brûle la gueule. Trois jours d'hôtel, un « rivolvita » ça coûte cher; de là ma pingrerie de tantôt. Tu devrais me pardonner. »

Comme il avait eu tort d'écrire cette lettre! En effet, si dans sa fuite précipitée, Verlaine avait d'abord pensé à convaincre Mathilde qu'il était capable de rompre, il n'avait point prévu l'emploi d'un revolver. C'était pour s'excuser d'avoir emporté l'argent qu'il y risquait une allusion. En même temps, il s'était dit que Rimb comprendrait que, cette fois c'était sérieux. Cette arme expliquait tout, justifiait tout... La preuve : *Si d'ici trois jours, je ne suis pas r'avec ma femme...* Paul avait donc avisé Mathilde qu'il s'était rendu libre définitivement pour elle et il la priait de venir à Bruxelles faire la paix. Sa mère avait reçu un billet analogue. Aussitôt la bonne vieille avait pris le train et s'était présentée à l'hôtel au moment même que le logeur remettait au poète une enveloppe, timbrée de Londres, et qui contenait trois pages folles d'Arthur, implorant son pardon.

« Oui, c'est moi qui ai eu tort! reconnaissait-il sans comprendre comment Verlaine avait eu le courage de le lâcher. Oh! tu ne m'oublieras pas, dis? Non, tu ne peux pas m'oublier. Moi, je t'ai toujours là..., etc. »

A mesure qu'il déchiffrait ce texte, Paul sentait fondre son courage. Chaque phrase, chaque mot le brûlait. Il voulait et ne voulait plus résister à son démon. Pourquoi lui avait-il écrit durant la traversée? Il aurait dû ne pas écrire... Et Mathilde qui ne venait pas, qui ne répondait pas! On était le samedi 5 juillet, et il lui avait donné jusqu'au 7. Sinon... Paul passait d'un accès de fureur à un accès d'abattement. Stéphanie, consternée, n'osait rien dire ni faire, de peur de le tourmenter davantage ou de l'exaspérer contre elle. Mais vraiment, était-il normal de se mettre dans un tel état! Paul était fou. Elle le savait. Il avait toujours eu de ces exagérations qui pouvaient laisser craindre qu'il ne commît les pires bêtises. Cette fois, il passait les limites.

— Je t'en supplie, Paul, calme-toi! finissait par lui dire timidement la vieille dame. Oublie Mathilde : cela vaut mieux.

Mais Paul comptait les heures. Décemment, il ne pouvait pas ne pas, au moins, acheter le revolver. Si Rimbaud apprenait plus tard que sa lettre — cette lettre absurde — n'était que bluff, il triompherait trop facilement. Non. Impossible. Mme Rimbaud, qu'il avait informée — elle aussi — de son projet de suicide, avait répondu :

« Monsieur, j'ignore quelles sont vos disgrâces avec Arthur, mais j'ai toujours prévu que le dénouement de votre liaison ne devait pas être heureux. Pourquoi? me demanderez-vous. Parce que ce qui n'est pas autorisé, approuvé par de bons et honnêtes parents ne doit pas être heureux pour les enfants. Vous, jeunes gens, vous riez et vous moquez de tout; mais il n'est pas moins vrai que nous avons l'expérience pour nous; et chaque fois que vous ne suivrez pas nos conseils, vous serez malheureux. Vous voyez que je ne

vous flatte pas : je ne flatte jamais ceux que
j'aime. »

Mme Rimbaud disait encore :

« Moi aussi, j'ai été bien malheureuse. J'ai
bien souffert, bien pleuré et j'ai su faire tourner
mes afflictions à mon profit. Dieu m'a donné un
cœur fort... Faites comme moi, cher monsieur.
Soyez fort et courageux. Donnez un but à votre
vie ; vous aurez sans doute encore bien des jours
mauvais, mais quelle que soit la méchanceté des
hommes, ne désespérez pas de Dieu... »

Cette lettre si digne apaisa Paul un moment :
il fut même sur le point de tout avouer à
Stéphanie, de se livrer à elle, comme autrefois,
dans ses grandes détresses d'enfant. Ne plus
penser ! Pleurer ! Déverser le trop-plein de son
cœur dans le cœur de sa mère ! Dormir ! Quelle
délivrance ! L'anxiété de Stéphanie l'en dissuada.
— Demain, se dit-il en manière de conclusion,
si Mathilde n'a pas donné signe de vie, j'agirai.
Or, le lendemain, de très bonne heure, une
seconde lettre, mais d'Arthur, parvenait à Verlaine.

« D'abord ta femme ne viendra pas, ou elle
viendra dans trois mois, dans trois ans, déclarait
le jeune garçon. Quant à claquer, je te connais...
Tu vas, en attendant ta femme et ta mort, te
démener, errer, ennuyer les gens... »

Et il continuait sur ce même ton de défi :

« Crois-tu que ta vie sera plus agréable avec d'autres qu'avec moi? *Réfléchis-y!* Ah! certes non. Avec moi seul, tu peux être libre, et puisque je te jure d'être très gentil à l'avenir, que je déplore toute ma part de torts, que j'ai enfin l'esprit net, que je t'aime bien, si tu ne veux pas revenir ou que je te rejoigne, tu fais un crime et tu t'en repentiras de *longues années* par la perte de toute liberté et des ennuis les plus atroces peut-être que tous ceux que tu as éprouvés. Après ça, resonge à ce que tu étais avant de me connaître! »

Paul trépigna de rage à cette lecture. Soudain, saisissant son gibus, il sortit et, sans répondre à Stéphanie qui lui criait d'être raisonnable, s'éloigna rapidement.

Un ami rencontré dans la rue l'avant-veille lui avait affirmé que la légation d'Espagne acceptait des volontaires pour combattre l'insurrection carliste et, bien que ne prêtant à ces paroles qu'une oreille distraite, le poète avait classé le renseignement. S'il n'achetait pas le revolver, il pouvait se rendre à la légation et s'informer des formalités que l'on exigeait en vue d'un engagement.

> *Et très brave, ne l'étant guère,*
> *J'ai voulu mourir à la guerre.*

Cette idée lui plaisait... à condition, bien entendu, qu'elle demeurât à l'état de projet, d'excuse. Depuis la veille, le délai fixé à Mathilde
était expiré. Ce délai comportait, pour Verlaine,
l'obligation de se « brûler la gueule », et il se
voyait dans les glaces des devantures, l'œil
sombre, la figure blême, décomposée, ne sachant
plus quelle décision choisir. Se tuer, pour Mathilde! Franchement, elle ne le méritait pas.
D'autre part, ce ne serait pas sa mère qui lui
reprocherait d'avoir failli à son serment. Restait
Rimbaud. « Quant à claquer, je te connais! » lui
avait-il écrit. C'était exact : il ne le connaissait
que trop. Si jamais le hasard replaçait les deux
hommes face à face, Verlaine n'ignorait aucun
des raffinements qu'Arthur inventerait pour l'hu-
milier.

— Quant à claquer! répétait-il...

Mais non, Paul n'en avait plus la moindre intention... Claquer pour qui? pour quoi? Avisant
tout à coup l'entrée d'un bureau de poste, vers
lequel sans s'en rendre compte ses pas l'avaient
conduit, il en poussa le battant, s'empara d'une
formule télégraphique et, négligeant toute sorte
de préambule, il rédigea ce texte :

« Volontaire Espagne. Viens ici. Hôtel Liégeois. »

Le soir même, Rimb était là.

*
**

— Si tu as tes projets, annonça-t-il dès la première minute, j'ai les miens. Ils n'ont d'ailleurs
rien de secret : Paris!

— Comment, Paris?

— La seule ville où je pourrais vivre.

— Et... Londres?

— Tu ne voudrais tout de même pas, répondit
sèchement Rimbaud.

Mathilde était refoulée au second plan. Qu'elle
vînt ou non, elle n'intéressait nullement Verlaine.
Arthur l'avait reconquis. Néanmoins, il changea
d'hôtel par précaution et loua deux chambres,
rue des Brasseurs, à « La Ville de Courtrai » :
la première pour sa mère, la seconde pour Arthur
et pour lui. Ces pièces communiquaient afin de
prouver à Mathilde, au cas où elle surviendrait,
que leur liaison n'offrait rien de suspect. Rimbaud, trouvant ça farce, avait parfois son rire,
ce fameux rire « à la muette », qui excitait si fort
le vieux. Mais le « vieux » pouvait insister, l'autre
ne démordait pas de son projet. D'abord Paul
avait cru que c'était par rancune qu'Arthur s'en-
têtait de la sorte à vouloir se rendre à Paris, et
il avait fait mine de prendre gaîment la chose.

Subitement sa colère éclata.

— Mais quoi foutre à Paris? C'est idiot!
hurlait-il. Quelqu'un t'attend?

Il avait encore proposé de retourner à Londres, d'y chercher des leçons, de s'y installer en somme définitivement. Rimb haussait les épaules. Une partie de la nuit s'écoula de la sorte. Puis tous deux finirent par s'endormir, remettant au lendemain la discussion. Or, le lendemain, Verlaine commença tout de suite par crier. Plusieurs absinthes, qu'il avala coup sur coup, en pensant entraîner Arthur à l'imiter, lui firent perdre toute mesure.

— Avoue, voyons! clamait-il d'une voix de fausset. Dis-moi le nom de celui que tu vas rejoindre à Paris. Dis-le. Me prends-tu pour un imbécile?

Il s'énervait, ne sachant plus quels arguments opposer au flegme de son interlocuteur, heurtait le plancher de coups de talon ou, soudain, se levait fiévreusement, quittait la table, comme s'il s'en allait à l'hôtel, revenait au bout de quelques minutes, s'asseyait, accablé, l'air sinistre. L'obstination d'Arthur le démontait.

— Tiens-toi mieux, lui disait le jeune homme. Tu vas te faire flanquer dehors.

Lorsque Verlaine exagérait ses cris, il affectait de regarder dans la rue d'un air pensif qui décuplait la rage de l'autre, « ou il riait affreusement, longtemps », à la stupeur de leurs voisins et de la caissière qui ne les quittait pas des yeux. La nuit vint sans apporter aucun changement. Les deux amis se mirent au lit. De sa chambre, Stéphanie entendait Rimb répondre : « Non... mais non...

Je ne veux pas ! » aux supplications étouffées de son fils. La candide créature ne discernait point exactement le sens de leur dialogue et pourtant, à plusieurs reprises, elle crut comprendre que Paul pleurait et qu'Arthur se moquait de lui ou même — à un certain moment — qu'il le frappait. Subitement, le couple cessa de se chamailler : un double ronflement succéda dans la pièce à cette dispute bizarre. Par la fenêtre grande ouverte sur la rue, le léger courant d'air qui circulait d'une chambre à l'autre, ne dispensait aucune fraîcheur.

— Quelle idée d'avoir fait venir ce garçon à Bruxelles ! songeait tristement Stéphanie. Paul aura certainement payé le voyage. Il est trop bête...

CHAPITRE VII

— Est-ce que Paul est chez vous? s'informait Rimbaud, le lendemain, en ouvrant avec peine les paupières.

— Non, répondit Mme Verlaine.

— Ah? Bien!... Par conséquent, je redors.

Stéphanie se leva, poussa discrètement la porte de communication et tira le verrou puis, se penchant à la croisée, regarda dans la rue. Il y avait déjà du monde sur les trottoirs : des boutiquiers, des ménagères. Une voiture traînée par des chiens s'arrêta devant le perron de l'hôtel, conduite par un vieux qui livrait des journaux. « Où se trouve Paul? », se demanda sa mère. Puis elle commença sa toilette. Il faisait chaud. La journée allait être accablante.

« Comment cela finira-t-il? » se dit tout à coup la vieille dame.

Paul, heureusement pour elle, était parti sans l'embrasser. Son abattement, sa détresse auraient causé trop d'inquiétude à Stéphanie. Sur la

Grand'Place, il avait rapidement absorbé un bol
de café noir à l'antique maison des Brasseurs
et, tandis que les garçons répandaient de la sciure
de bois sous les tables, il s'était empressé de disparaître.

La détermination qu'il venait de prendre l'emplissait d'une étrange, d'une absurde dignité.
Puisque Rimbaud ne voulait pas comprendre,
qu'il persistait dans son entêtement, Paul allait
lui montrer qu'il était homme à se faire obéir.
Pour le moment, il avait besoin de marcher, de
se détendre les nerfs. Traversant la Grand'Place
où les marchandes de fleurs édifiaient en plein
air leurs étalages de planches et de toiles, il gagna
l'hôtel Liégeois, dont il avait indiqué l'adresse
à Mathilde. Paul voulait s'assurer que sa femme
n'était pas à Bruxelles.

— Et dites-moi... pas de lettre, non plus? avait-
il demandé à la propriétaire.

— Non. Rien.

— Parfait, répondit-il.

Mais il pensait visiblement à autre chose. On
avait arrosé la chaussée, les trottoirs. Une fraîcheur agréable régnait encore dans les petites
rues. Plusieurs servantes, qui fourbissaient les
cuivres et frottaient les glaces miroitantes d'un
estaminet-concert, riaient et plaisantaient entre
elles au passage du poète. Paul n'y prêta pas
attention. Cependant, il se vit dans la glace d'une
boutique, et l'image qu'il reçut de sa propre personne le frappa. Cet air sombre, résolu, ces yeux

brûlants au creux de ses orbites auraient certainement fourni à Rimb une nouvelle occasion
de le tourner en ridicule. « Une tempête sous
un crâne! » aurait-il dit. Bien sûr! Mais quel
crâne!... Quant à la tempête, *on* n'avait qu'à bien
se tenir, sinon...

Une première absinthe ingurgitée, debout sur
le zinc d'un comptoir, précisa ses intentions.
La rue descendait en obliquant à gauche, comme
à dessein d'inviter gracieusement le poète à péné-
trer, plus bas, sous la voûte vitrée des galeries
de la Reine, où, le soir même de son arrivée à
Bruxelles, Paul avait repéré la boutique d'un ar-
murier. Soudain, en opérant cette courbe, il eut
la sensation baroque d'une trajectoire dont il
aurait été le vivant projectile et s'en trouva récon-
forté. Cela donc désormais ne dépendait plus
de lui. Rien ne dépendait plus de lui. Mais
il avait parlé d'un *rivolvita*, dans sa fameuse
lettre écrite en mer, et il fallait qu'il en achetât
un. Vingt-trois francs! Bigre, ce n'était pas donné.
Il est vrai que ce prix comportait l'achat d'une
boîte de cinquante cartouches. Quel luxe, mon
empereur! Il allait faire une hécatombe? A deux
victimes par balle, c'était le mot.

Et le voilà, cette arme en poche et une nouvelle absinthe au creux de l'estomac. Tout aussitôt devient facile. Paul contourne la Grand'Place
en suivant le bas des maisons pour éviter l'ar-
deur du soleil qui, là-haut sur les toits de l'Hôtel
de Ville, fait étinceler l'or des statues et miroiter,

sous ses prunelles, les dures petites têtes des pavés. A l'hôtel, Arthur dort encore, la bouche ouverte, entièrement nu, avec des mouches sur la figure. Paul traverse la chambre, frappe à la porte de Stéphanie.

— Ah! c'est toi... d'où viens-tu? balbutie la vieille dame, les yeux baissés.

Lui non plus n'a pas le courage de la regarder en face.

— Mon pauvre enfant, constate-t-elle cependant sur un ton de reproche... Tu as déjà bu de l'absinthe. Ce n'est pas raisonnable.

— Il le faut, réplique-t-il.

A cet instant, Rimbaud, qui a fini par s'éveiller, se frotte les paupières de ses grosses mains sales et considère le « vieux » d'un air béant.

— Habille-toi vite pour l'apéro. C'est l'heure! lui dit Verlaine. Tu n'as pas soif?

Le jeune garçon obéit machinalement : il empoigne en bâillant ses chaussettes et les enfile tandis que Paul, assis sur le bord du lit, tire de son gousset plusieurs pièces d'or qu'il fait mine de compter.

— Eh bien! questionne-t-il sur un ton faussement détaché : Paris, ça tient toujours?

— Toujours!

— Bravo!

— Ah! constate Rimbaud, nous jouons ce matin les Sphinx, nous nous exprimons par énigmes... et moi je réponds m... au Sphinx! m... à tout!

— Naturellement.

— Mais bien sûr! ronchonne Arthur en laçant ses souliers. Tu essayes de crâner et tu as une gueule de cadavre.

Envahie d'un pressentiment, Stéphanie tente de rappeler le grossier personnage à un langage moins cru.

— Maman, je t'en prie! ordonne Verlaine.

Puis, s'adressant à Rimbaud qui ricane en se coiffant devant un miroir ébréché fixé contre le mur, il s'informe :

— On y va?

A peine dans l'escalier, les gros mots reprennent de plus belle et la dispute atteint un diapason élevé. La voix de Paul tonne tout à coup avec une telle violence qu'elle couvre celle d'Arthur. Un voisin de l'étage entre-bâille la porte de sa chambre.

— Qu'est-ce que *ça* est, ces espèces d'énergumènes? s'enquiert-il auprès de la petite bonne joufflue qui passe sur le palier.

*
**

Quand les deux hommes revinrent au début de l'après-midi, ils avaient déjeuné mais ils se disputaient encore avec tant de fureur que la mère de Verlaine crut bon de fermer les fenêtres. Paul paraissait désespéré. Il allait d'une pièce à l'autre ainsi qu'une bête en cage. Pourtant, il s'arrêta, s'approcha de Stéphanie et l'embrassa.

Rimbaud, debout contre le mur, contemplait cette scène avec dégoût.

— N'est-ce pas? déclara-t-il. Rien ne m'empêchera de retourner à Paris, tu le sais bien...

— Ecoute! supplia Verlaine. Aie pitié de moi. Tu ne comprends donc pas que c'est grave?

— Oh! tes mômeries! riposta froidement Arthur.

Paul lui jeta un regard noir de haine puis sortit en faisant claquer la porte.

— Vous ferez mieux, dit alors Rimbaud à Stéphanie, de m'avancer l'argent du train, car Paul est encore allé boire...

— Je n'ai pas d'argent à vous donner, répondit la vieille dame. Demandez-en à votre mère.

— Oh! la mutter... Elle aimerait mieux me voir crever que de se fendre d'une thune.

— Je vous plains de parler ainsi de Mme Rimbaud, soupira Stéphanie.

Il y eut un silence.

— Voilà Paul, annonça soudain le jeune homme toujours debout contre le mur. Mince de biture! Vous l'entendez? L'escalier n'est pas assez large.

— Qu'est-ce que tu racontes? cria Verlaine qui, sur une entrée de grand style, repoussa le battant d'un coup de talon.

— Nous parlions de Paris, exposa Rimbaud d'un air dur. Et madame refuse de me prêter le prix du chemin de fer.

— Mais je le lui défends!

— Pourquoi?

— Une façon comme une autre de t'empêcher de partir.

— M'empêcher! Ah! la la... Je m'en irais plutôt à pinces. Je connais la route.

— Paul, clama sa mère, voyant Verlaine plonger la main dans une poche de sa veste. Tu n'es pas fou?

Elle l'entoura de ses bras.

— Je suis désespéré, maman! larmoya-t-il.

— Tu es surtout plein comme une outre, affirma l'autre. Mais regarde-toi. Quelle gueule!

Cette fois, Verlaine se dégagea de l'étreinte de Stéphanie mais l'humble femme parvint à l'entraîner dans la seconde chambre où elle le fit asseoir.

— Non, laisse, dit Paul. Puis désignant Arthur : je ne veux pas qu'il parte! Que faut-il donc, bon Dieu, que j'invente pour qu'il ne me quitte pas! pour qu'il accepte de ne...

— Viens avec moi, le train est à huit heures.

— Eh bien! c'est ça... Partons ensemble!

— Cela te permettra de retrouver ta femme.

Paul se passa la main sur la figure.

— Ma femme! Ma femme! bégaya-t-il. Tu n'as pas honte!

Et comme il faisait mine d'aller vers Rimbaud pour l'obliger à se taire, Stéphanie lui barra le passage.

—Ah! bien! Très bien! Si tu t'y mets aussi, s'exclama-t-il, C'est bon!

Obliquant vers la porte, il disparut de nouveau tandis qu'Arthur saluait cette fuite d'un insolent éclat de rire. A la fois indignée et suppliante, Mme Verlaine se retourna.

— Si ce n'est pas pour lui, dit-elle, faites-le pour moi. Vous avez vu dans quel état le met l'idée de votre séparation? Aussi n'insistez pas, attendez qu'il soit dégrisé. Ayez l'air de rester quelques jours et je vous donnerai l'argent qu'il vous faut pour partir. Mais d'ici là...

— Non.

Enfin Verlaine était revenu, très rogue, comme un homme résolu non point à controverser mais à dicter ses ordres; au demeurant, plus saoul que jamais. L'effort qu'il s'imposait se manifestait par une démarche saccadée d'automate. Il ferma la porte à clef puis, se laissant choir sur une chaise, exhiba son revolver.

Rimbaud s'enquit, d'un air gouailleur :

— Que vas-tu faire avec ce pistolet?

— Mais, répliqua Verlaine en cessant de le tutoyer : c'est pour moi, c'est pour vous... (il insista sur *vous*) pour tout le monde!

Stéphanie voulut s'interposer mais Paul esquissa le geste de diriger l'arme vers elle et la malheureuse recula, tandis qu'il se tournait du côté d'Arthur et criait, en pressant la gâchette :

— Voilà pour toi, puisque tu pars!

Un coup de feu claqua, puis un second. Paul, comme un fou, quitta sa chaise et courut à Rimbaud.

Planche V

TABLEAU DE FANTIN-LATOUR
" Coin de table ".

ARTHUR RIMBAUD A DIX-SEPT ANS
Photographie de Carjat.

— Ah! mon enfant! gémissait-il. Je t'ai blessé...
Je suis un monstre... Où as-tu mal? Réponds!
Mais réponds donc... Pardon, Rimbaud! Ou
plutôt non... Prends à présent le revolver. Tue-
moi!

Au risque de faire partir un troisième coup,
il tentait de lui mettre son pistolet entre les
doigts, mais Rimbaud s'approcha de la fenêtre :
il examinait la blessure par où coulait un filet de
sang. Une seule des balles, la première, l'avait
providentiellement atteint à la main gauche.

— Vite, un docteur! clamait durant ce temps
Verlaine. Un docteur! Va le chercher, maman!
ordonna-t-il à Stéphanie. Descends, va, cours!
Dépêche. Oh! ce n'est pas possible, ce n'est pas
moi!

— Allons à l'hôpital, répondit posément Rimbaud. Et ne crie plus, surtout? C'est trop bête.
Tu tires mal!

La scène, ayant eu lieu en plein après-midi, les
chambres de l'immeuble étaient vides. Personne
n'entendit donc la double détonation. Aussi lorsque Rimbaud, qu'escortaient Verlaine et sa mère,
revint de l'hôpital Saint-Jean, où on l'avait pansé,
le patron de l'hôtel se demanda comment les
deux ivrognes s'y étaient pris pour s'être si rapidement dessaoulés. Sans l'agitation de Verlaine,
nul ne se serait douté de l'aventure. Il avait beau
ne point parler, la pâleur et la crispation de son
visage trahissaient l'égarement dans lequel il
était. Tous trois gagnèrent l'étage. Mais à peine

dans la chambre, Verlaine fondit en larmes et supplia Rimbaud de lui pardonner. Il avait eu un moment de folie, dont il voulait qu'Arthur chassât le souvenir, même s'il partait toujours, comme il l'avait dit, pour Paris, sans souci de son désarroi.

— Voyons, ne recommence pas, dit Stéphanie.

Paul inclina piteusement la tête puis, au bout d'un instant, s'efforçant de refouler l'émotion qui lui obstruait la gorge :

— Ton train quitte Bruxelles à huit heures? demanda-t-il.

Rimbaud regarda Mme Verlaine, comme s'il n'eût pu répondre sans l'avoir d'abord consultée, et Stéphanie lui fit signe de la suivre dans sa chambre où elle lui remit une pièce de vingt francs.

— A huit heures, oui! dit alors Arthur, revenu près de Paul.

— Eh bien! nous t'accompagnerons.

Il faisait encore jour lorsqu'il quittèrent l'hôtel. Paul marchait en avant, très vite, revenait sur ses pas et parfois s'arrêtait à l'angle d'une rue pour indiquer sa route au couple. Il éprouvait comme une pudeur bizarre à voir sa mère et « l'Epoux infernal » aller de pair parmi la foule qui regagnait son gîte après le rude labeur de la journée. Tous ces gens cependant lui paraissaient heureux lorsqu'il comparait son sort au leur. La plupart possédaient un foyer qu'ils avaient hâte, si pauvre qu'il fût, de retrouver —

même tout en haut du tout dernier étage sous
le toit d'une de ces laides maisons dont on apercevait, çà et là, les entrées et les corridors
menant à des cours tristes, bruyantes, où des
linges pendaient aux fenêtres. Paul aurait
accepté d'habiter n'importe laquelle de ces cours
à condition de s'y trouver avec Rimbaud. Il se
résignait mal à ce départ. La pensée que, tout
à l'heure, il reviendrait de la gare en compagnie
de Stéphanie, qu'il parcourrait à côté d'elle ce
même chemin en sens inverse, lui donnait envie
de saisir de nouveau son revolver et de se donner
la mort. Peut-être alors seulement Arthur aurait
pitié de lui! Cette idée l'accablait; tout à coup
il comprit que ses impressions devaient se tra-
duire sur ses traits car, ses yeux rencontrant
ceux du jeune garçon, Paul s'aperçut qu'Arthur
observait chacun de ses gestes avec trop d'attention.

Une fois passée la place Rouppe, la rue du
Midi continuait en ligne droite vers la gare. Sous
les platanes de cette place, au pied d'une vague
statue ou à la terrasse des cafés, de vieilles gens,
des buveurs savouraient la fraîcheur du soir.
Subitement Paul se retourna, mit la main à la
poche et revint vers Rimbaud qui, s'attendant
à un nouvel esclandre, se tenait sur ses gardes.

— Mais non! Ne te sauve pas! cria Paul, le
voyant détaler.

Il tenta de le rejoindre, mais l'autre, grâce à
ses « jambes incomparables », eut rapidement

fait de prendre de la distance et d'aborder un
sergent de ville. Alors, tout essoufflé, le fuyard
désigna Paul en balbutiant :

— Cet homme... veut me... tuer, monsieur
l'agent. Il a un... revolver. Prenez garde !

Le policier bondit sur Paul, que d'ailleurs ses
vociférations et ses regards enflammés ne dési-
gnaient déjà que trop pour un furieux.

— Allez ! Au poste ! commanda-t-il après l'avoir
brutalement désarmé.

Stéphanie essaya de protester contre une
pareille arrestation. L'agent lui dit :

— Et vous... de même. Suivez !

Entourés d'un cercle de badauds, les deux
hommes et la vieille dame durent se diriger vers
la rue du Poinçon, où se trouvait le commis-
sariat.

Paul ne se doutait pas encore des suites que
comporterait l'incident. Les deux lettres de
Rimbaud que l'on saisit chez lui, furent déposées
à part avec le revolver sur la table de la salle
de garde ainsi que la fameuse missive datée en
mer, le télégramme expédié l'avant-veille à
Londres et certain sonnet dont Arthur se trouvait
imprudemment porteur. M. Delhalle, le commissaire, en prit sur-le-champ connaissance :

Je suis élu, je suis damné !
Un grand souffle inconnu m'entoure.
O terreur ! Parce, Domine !

lut-il, non sans arrondir de gros yeux.

Quel Ange dur ainsi me bourre
Entre les épaules tandis
Que je m'envole au Paradis?

La suite ne tarda pas à l'éclairer.

Fièvre adorablement maligne,
Bon délire, benoît effroi,
Je suis martyr et je suis roi,
Faucon je plane et je meurs cygne!

Toi le Jaloux qui m'as fait signe,
Tout me voici, voici tout moi!
Vers toi je rampe encore indigne!
— Monte sur mes reins, et trépigne!

— Vraiment!... grommela le fonctionnaire.
C'est ma foi très curieux.

Puis se ravisant et s'adressant à son secré-
taire :

— Cette dame Dehée, épouse Verlaine, ques-
tionna-t-il, se prétend bien la mère du... de l'artiste? Très bien! Mais, dites-moi donc. Quel est
son rôle dans toute l'histoire? Elle tenait la chan-
delle?

CHAPITRE VIII

Ce qui frappe chez Verlaine, ce qui déconcerte à tout bout de champ, c'est moins la misère matérielle que l'effroyable misère morale où il s'est enlisé. Quelles que soient les raisons qu'on invoque, elles n'excusent jamais entièrement sa conduite.

Et pourtant :

Dans la brute endormie un ange se réveille.

Danger des premières lectures, des premiers enthousiasmes. Verlaine fut de bonne heure envoûté par le charme des *Fleurs du Mal*. Un de ses tout premiers poèmes nous prouve, assez naïvement d'ailleurs, de quelle façon l'influence de Baudelaire s'exerça sur sa jeune imagination.

Ce vers :

Je ne sais rien de gai comme un enterrement!

devait rester célèbre. N'y découvrons-nous pas déjà l'indication d'une attitude dont le poète allait garder le pli? Certaines pièces des *Poèmes Saturniens* sont en effet très proches par l'esprit de cet alexandrin et constituent chez leur auteur comme une seconde nature faite de fanfaronnade, de... romantisme rentré. Le poème liminaire en porte témoignage :

Or ceux-là qui sont nés sous le signe Saturne,
Fauve planète, chère aux nécromanciens,
Ont entre tous, d'après les grimoires anciens,
Bonne part de malheur et bonne part de bile.

Rarement destinée se plia plus scrupuleusement à ses propres prévisions. Or cette « part de malheur » — lot des Saturniens, — les *Poètes Maudits* la trouvent aussi parmi les dons qu'ils reçoivent à leur naissance. Reste à définir ce que Verlaine entendait par « malheur ».

Suis-je né trop tôt ou trop tard?
Qu'est-ce que je fais en ce monde?

Hélas! pas plus qu'aucun de nous, Pauvre Lélian n'a su répondre à cette question, mais l'inquiétude qu'il ressent passe de beaucoup celle de ses semblables, et la place qu'elle occupe dans son existence devient telle qu'il en souffre exagérément. Sans doute bien avant lui d'autres grands cris de désespoir ont retenti sous le ciel vide; néanmoins, chez Villon par exemple, chez Vigny, chez Baudelaire ou, pour choisir parmi les philosophes, chez Schopenhauer ou chez

Nietzsche tout autant que chez Lamennais, nous discernons la cause d'une si poignante lamentation. Elle nous est commune avec eux. Tandis que le mal dont Verlaine a laissé le « poison » l'envahir n'a pour ainsi parler point de motif.

> *C'est bien la pire peine*
> *De ne savoir pourquoi,*
> *Sans amour et sans haine,*
> *Mon cœur a tant de peine.*

Est-il sûr de « ne savoir pourquoi » ou plutôt — lui qui fut toujours enclin aux confessions publiques — n'ose-t-il pas vraiment nous le dire, ce pourquoi? C'est le sort des sans patrie, des sans amour, des sans... nature déterminée. Le flou, le vague dont il a raffiné, avec un art surprenant, jusqu'aux nuances, les femmes en sont parfois mystérieusement endolories : celles surtout qui, par d'obscurs détours physiologiques, ne sont plus tout à fait des femmes au sens passif du mot, en éprouvant plus que leurs sœurs une peine inguérissable. Mais cédons la place à Verlaine :

> *Je suis pareil à la grande Sappho,*

clame-t-il, au mépris des pudeurs admises.
Et plus loin :

> *Amants qui seraient des amis,*
> *Nuls serments et toujours fidèles,...*

Pareilles révélations rendent tout commentaire superflu. Elles nous aident à comprendre la sorte de « malheur » qui échut à Verlaine et quelle acception il convient de donner au titre de « poète maudit » — non point quand il l'applique à Corbière ou à Mallarmé — mais à Pauvre Lélian et, pour une large part, ainsi qu'il le nommait avec une correction suspecte, à « M. Rimbaud ».

Allons plus loin. Dans l'union la mieux assortie, la vieille loi des complémentaires — ou désignez-la comme vous le voudrez — des réciprocités, exige que le faible s'attache à dominer le fort alors que ce dernier tend à se laisser asservir. Cette loi s'applique à toutes les unions, aussi bien entre hommes qu'entre femmes, car le fort et le faible y sont représentés. Jusqu'à Lucien, dont la mort plongea le poète dans la plus hideuse débauche, Verlaine avait été sans contredit, le... faible. Pas une fois il n'était parvenu à dominer Rimbaud. De là, le déséquilibre de ce « drôle de ménage ». Rimb le frappait. Rimb l'appelait le vieux... et lorsque le *vieux* (il avait vingt-sept ans à l'arrivée d'Arthur) croyait agir avec munificence, l'autre lui répondait : « Quand vous me verrez manger positivement de la m..., alors vous direz que je ne suis pas cher à nourrir. » Toutes les hontes, tous les affronts, Paul dut les supporter. N'aurions-nous que cette preuve, elle suffirait à nous édifier sur la nature des relations qu'entretenait le couple.

Or il paraît que « la médecine légale, dans son

dernier état, repousse comme vain le - genre
d'expertise » auquel les magistrats de Bruxelles
décidèrent de contraindre Verlaine au moment
du jugement. « La visite humiliante » fut pourtant ordonnée : elle eut lieu aux Petits-Carmes.
« Le rapport fut accablant » pour le poète. Admettons que ces « constatations n'aient plus aujour-
d'hui aucune valeur probante », il n'en demeure
pas moins patent que Verlaine, s'adressant à Rimbaud le 2 avril 1872, écrivait : « Le petit garçon
accepte la fessée », et encore : « C'est ça : aime-
moi, protège et donne confiance. Etant très faible, j'ai très besoin de bontés. Et de même que
je ne t'emmiellerai plus avec mes petites gar-
çonnades, etc... » Ce ton humble, cette répu-
gnante humilité ne sont-ils pas révélateurs des
procédés que tous les faibles emploient dans
leur désir de désarmer les forts? Et les coups
de couteau dont le « petit garçon » eut un soir
à Montmartre la cuisse et les mains trans-
percées, ainsi que la raclée sinistre que le *Loyola*
(c'était le nouveau nom dont Rimb l'affublait)
reçut d'Arthur au point d'en rester inanimé sur
l'herbe le long du Neckar, dans la banlieue de
Stuttgart? Est-ce que ces éléments ne constituent
pas un faisceau de preuves indiscutables?
Cependant — et c'est là le pis — nous retrouvons
toujours à travers eux, l'obsession qui tourmen-
tait Verlaine de changer de rôle dans le ménage,
de devenir enfin le maître.

Ah! si je bois, c'est pour me saouler, non pour boire.

proclame-t-il, car l'ivresse lui donne tantôt l'illusion de la force, tantôt l'oubli de sa faiblesse.
On sait comment s'étayent de tels sentiments
dans l'âme de tout velléitaire, mais parfois il
arrive, comme à Bruxelles, que prétextant la
folie où le plonge l'obstination de Rimbaud à le
fuir, Verlaine aille jusqu'à faire virilement (du
moins l'estime-t-il ainsi) usage d'un revolver.
Mais ce revolver, sans l'allusion d'une certaine
lettre écrite *en mer,* Verlaine ne l'aurait pas
acheté. La seule arme qu'on lui ait jusqu'alors
connue étant la canne-épée avec laquelle Arthur
faillit embrocher le photographe Carjat au cours
du dîner des Vilains Bonshommes, en décembre
1871. Elle convenait au goût qui fut toujours très
vif chez Verlaine de voir couler le sang. Cazals
m'a dit que, dans ses dernières années, le poète
avait remplacé cette canne ridicule par un canif
dont il tailladait, une fois ivre, les mains de ses
amis.

Cazals s'est même fâché alors avec Verlaine
qui lui avait porté un coup de couteau. Notez bien
cependant : « une fois ivre ». A jeun il était
sociable, ou complètement abruti. Or, dans un
tout récent essai psychanalytique de grande
pénétration, M. Antoine Adam déclare : « L'exa-
men de Verlaine, hélas ! n'est pas difficile. Quand
il est saoul, il révèle sa conception du mâle et
cette conception est sadique. »

Et il conclut :

« Toutes les périodes homosexuelles du poète

et ses périodes d'ivrognerie coïncident. Il boit de
1862 à 1869, il boit de 1871 à 1873, il boit après
la mort de Lucien et jusqu'au retour à Paris. Et
chaque fois, il agit en mâle. »

C'est là que je désirais en venir. Cette hantise
d'agir « en mâle », que Rimbaud réduisait aisément par quelques corrections plus ou moins
énergiques, Verlaine n'a jamais cessé de l'éprouver. Tous les moyens d'y atteindre lui étaient
bons, y compris le prestige dont il croyait béné-
ficier aux yeux d'Arthur par sa conversion à la
religion catholique durant la détention à Mons.
Malheureusement pour lui, il avait affaire en
Rimbaud au type le plus viril qu'il lui fut donné
d'approcher et qu'il ne put jamais, en aucun cas
— sinon à Londres le jour de la rupture, car
il le laissait sans ressources, — intimider. Que
diable donc allait chercher Verlaine à Stuttgart ?
Est-ce que le Loyola ne se doutait pas qu'en
« emmiellant » Rimbaud avec ses « garçon-
nades », il risquait d'aboutir à un nouvel échec ?
Mais peut-être avait-il besoin de cet échec ?
En effet, Paul ne néglige rien pour éblouir
Arthur. Il lui suggère même : « Aimons-nous en
Jésus ! » Et comme l'autre l'attend de pied ferme,
un rictus de défi aux lèvres et curieux, en somme,
de percer à jour tant de bonnes intentions, il
prend le train, en descend à *Stuttgarce* (ainsi

qu'il nomme cette ville pour la désigner en même
temps que celui qu'elle abrite) et se précipite
« un chapelet aux pinces » au-devant de ce grand
garçon, « bien bâti, presque athlétique, au visage
parfaitement ovale d'ange en exil ».

« Trois heures après on avait renié son Dieu
et fait saigner les quatre-vingt-dix-huit plaies de
N.-S. », écrivait cyniquement Rimbaud à Ernest
Delahaye. Mais ce qu'il n'avoue pas, c'est que
le lendemain, à l'aube, des paysans ramassaient
sur une berge du Neckar le corps inerte du
« Loyoïa » qu'une fois de plus — mais la dernière
— il avait jugé nécessaire de ramener à la raison.

Dès lors, comme tout s'éclaire — il est vrai
d'une lueur sinistre — lorsque près de cinq ans
plus tard, délivré de son mauvais ange, Verlaine,
dont tous ces souvenirs devaient assombrir la
mémoire, retourne « là-bas, dans l'île », camouflé
en père spirituel de Lucien Létinois ! La « fugue
Arthur » n'était en soi guère édifiante. On
pouvait cependant la porter au compte des déceptions conjugales du poète.

Aussi, la créature était par trop toujours la même
Qui donnait ses baisers comme un enfant donne des noix.
Indifférente à tout, hormis au prestige suprême
De la cire à moustache et de l'empois des faux-cols droits.

En revanche, la fugue avec Lucien n'offre
aucune excuse. Sous n'importe quel angle qu'on
l'examine, elle ne présente pour Paul qu'un intérêt : réaliser le trouble et lancinant désir qui

le tenaille de jouer l'homme dans le ménage en empruntant les pires expédients. Tout autre eût rêvé d'horizons inconnus, inédits. Le monde est vaste... Pour Verlaine, il se restreint aux limites de ses anciennes folies... Une troisième fois en compagnie de Lucien, une quatrième, au cours des conférences que le poète Symons avait eu l'idée de lui proposer, Verlaine retourne donc en Angleterre. Pareil au meurtrier attiré par le lieu du crime, on put le voir errer d'abord à travers les quartiers de jadis, puis rôder au hasard de nouvelles rues où, la présence de Lucien se substituant à celle d'Arthur, le malheureux croyait tromper son mal en ne dessaoulant pas.

Souvenez-vous du merveilleux poème :

Dans une rue, au cœur d'une ville de rêve,
Ce sera comme quand on a déjà vécu :
Un instant à la fois très vague et très aigu...
O ce soleil parmi la brume qui se lève !

Un tel émoi palpite dans ces vers, il recule à tel point les bornes du réel pour exprimer l'indicible et s'y épanouir, qu'aucun chef-d'œuvre d'aucune langue ne pourrait en supporter la comparaison.

Dans cette rue, au cœur de la ville magique
Où des orgues moudront des gigues dans les soirs,
Où les cafés auront des chats sur les dressoirs,
Et que traverseront des bandes de musique.

Ce sera si fatal qu'on en croira mourir...

Enfin, orchestration suprême des suprêmes correspondances :

Ce sera comme quand on rêve et qu'on s'éveille,
Et que l'on se rendort et que l'on rêve encor
De la même féerie et du même décor,
L'été, dans l'herbe, au bruit moiré d'un vol d'abeille.

Est-ce que sans « l'Epoux infernal » pareil morceau aurait pu sourdre des profondeurs de l'âme et opposer, avec une si magique ferveur, l'ombre à la lumière, le passé au présent? Il y a du « voyant » dans cette pièce étonnante. Elle porte en elle mieux qu'une présence; elle est cette présence même, quelque nom qu'au secret de ses plus pénibles souvenirs, Verlaine lui ait donné.

Mais qu'il est donc pénible pour tous ceux qui l'admirent qu'un tel poète ne se soit pas détourné du spectacle de ses turpitudes et qu'au lieu de fuir Londres il s'y soit au contraire senti voluptueusement attiré! L'homme eût été moins méprisable.

Planche VII

" PARALLÈLEMENT "
Brouillon de Verlaine.

Planche VIII

VERLAINE
par Robert Vallès.

CHAPITRE IX

Quelques années plus tôt, vers la fin de l'été 1877, Mathilde avait, un jour, reçu certain billet qui l'emplit de stupéfaction. Paul, se trouvant dans le quartier, écrivait du café voisin et réclamait un dessin, qui, paraît-il, était de son père, le capitaine. En même temps, il enjoignait à sa femme de confier leur enfant aux soins du commissionnaire qui avait ordre de le ramener. Georges prenait alors figure de garçonnet. Bien entendu, Mathilde rendit le dessin, mais conserva son fils, sans souci des menaces que Paul avait faites de recourir, en cas de besoin, à la force.

Propos d'ivrogne? Remords tardifs? L'année suivante, sachant que l'enfant avait été malade, le poète demandait à le voir. « Mes parents, affirme l'ex-Mme Verlaine dans ses *Mémoires*, répondirent qu'il pourrait venir et serait reçu. On lui fixait un jour. Georges était encore alité... » Que dissimulait cette démarche? Il n'est que trop

facile de le démêler. Paul désirait faire la paix
avec Mathilde. Son rêve d'autrefois,

Le foyer, la lueur étroite de la lampe;

l'obsédait de nouveau. A vrai dire, il ne l'avait
jamais absolument quitté. Le bourgeois qui sommeillait chez le poète, croyant habile de faire
vibrer la corde familiale, essayait par cette ma-
nœuvre d'attendrir les Mauté et de reprendre sa
place au chevet de Georges. La visite qu'il rendit
à l'enfant n'eut pourtant aucune suite ; Mathilde
s'abstint d'y assister et, comme c'était elle que
Paul cherchait à rencontrer, il « cessa d'écrire
et parut oublier qu'il avait un fils »...

Or, à la suite de cet échec de réconciliation
avec sa femme, Verlaine avait été nommé professeur au collège Notre-Dame, à Rethel, et ne
venait guère à Paris que pendant les vacances.
A l'âge du poète, cette demi-liberté, dont malgré
son génie il semble s'accommoder, présente
quelque chose de mesquin, et nous le plaindrions
autant qu'il le mérite de se trouver réduit à une
telle existence, s'il ne profitait pas des avantages
qu'elle offre pour attirer, d'abord en le grondant,
un de ses jeunes élèves.

Ce disciple préféré, c'est Lucien Létinois.
Imaginez le collège : ces messieurs en soutane
et, parmi eux, l'ancien détenu de la prison de
Mons. Paul a beau protester de la pureté de ses
« vues » sur Lucien, elles sont plus détestables

que lui-même ne l'a très probablement cru. Aux heures de récréation, lorsque maîtres et élèves jouaient au ballon dans la cour, est-ce que Verlaine ne songeait pas aux vers qu'il écrirait plus tard?

> *Allons, frères, bons vieux voleurs,*
> *Doux vagabonds,*
> *Filous en fleurs,*
> *Mes chers, mes bons,*
> *Fumons philosophiquement.*
> *Promenons-nous*
> *Paisiblement :*
> *Rien faire est doux.*

Avec un peu de franchise ou de cynisme, il aurait dû se dire que l'on avait laissé le loup s'introduire dans la bergerie.

Mais écoutez le bon apôtre :

La Belle au Bois dormait. Cendrillon sommeillait.
Madame Barbe-bleue? elle attendait ses frères;
Et le petit Poucet, loin de l'ogre si laid,
Se reposait sur l'herbe en chantant des prières.

L'Ogre? C'était lui. Et si laid. Oh! si laid! Il en convient d'ailleurs comme dans ces histoires que l'on conte aux enfants pour les effrayer avant de mieux les conquérir. Lucien était sans méfiance. « Si je ne l'aimais pas — aurait-il avoué un jour en parlant de Verlaine — je ne vaudrais pas cher! » Le soir, enfermé dans sa chambre, l'Ogre — avant de dormir — liche, en cachette de ses collègues, ces messieurs-

prêtres, une goutte de la liqueur dont il tire de sa
valise un flacon. Le « bon maître » se méfie.
L'absinthe qui pousse aux pires extravagances,
il n'en boit plus. Il sait ce qu'elle lui a valu : ses
deux ans de prison demeurent présents à sa
mémoire. S'il accomplit ici, pour vivre, des besognes ponctuelles coupées par la méditation et
la prière, la présence de Lucien rachète ample-
ment à ses yeux ce que cette existence comporte
de monotonie. Enfin, sous tout cela, peut-être à
son insu, la vieille obstination des faibles à
devenir les forts, suit toujours son chemin. Elle
a déjà marqué un point : Paul peut punir. Il dis-
tribue le blâme, les mauvaises notes. Son premier
soin, avec Lucien, a été de lui adresser une
semonce devant ses condisciples. Mais la confusion, l'effarement de l'enfant l'ont touché : il
le rassure presque aussitôt, le réconforte à l'aide
de compliments, et la partie s'engage :

Il avait des parents qu'il aimait, qu'il quitta
D'esprit pour être mien, tout en restant son maître.

En effet, à la fin de l'année scolaire, le directeur du collège Notre-Dame remerciait Verlaine
de ses services, et Lucien, « recalé » au brevet,
quittait la « boîte ». Tous deux partirent ensemble. Ils voyagèrent en Belgique, en Angleterre.

L'Angleterre, mère des arbres,
Fille des beffrois, la Belgique...

Peut-être descendirent-ils près de la Grand'Place
à Bruxelles, à l'hôtel de la Ville de Courtrai?
Peut-être même y occupèrent-ils, au premier
étage, la chambre où Paul avait tiré sur Rimb
deux balles de revolver? Regrettons qu'aucun
détail ne nous permette de préciser ce point.
Mais l'émoi du poète au cours de l'été 1879
prouve suffisamment qu'il réalise le vœu de sa
vie. A défaut de Mathilde qui — en oubliant
le passé — aurait permis à Paul d'agir en chef
de famille, Verlaine, grâce à Lucien, qui n'oppose
aucune résistance, peut enfin devenir un « père
spirituel ».

M. Antoine Adam écrit : « Verlaine a orga-
nisé son propre échec. » Bien sûr. Mais jusqu'à
quel moment? La raclée de Stuttgart n'en
marque-t-elle pas la fin? Il est probable que si
le poète avait eu les moyens ou le temps de
revenir chercher sur la berge du Neckar l'endroit
où Rimbaud l'avait laissé pour mort, il aurait
poussé le scrupule jusqu'à faire le voyage avec
son nouveau compagnon. Sinon, comment
admettre qu'après Bruxelles — qui lui rappelait
Rimbaud — il se soit embarqué pour l'Angleterre? N'exagérons cependant rien. Les mobiles
qui nous gouvernent ne sont pas toujours ap-
parents. Il arrive souvent qu'ils paraissent obscurs à ceux qui les subissent. Nous examinons
ici l'envers de la tapisserie. Nous cherchons à
voir comment les fils sont attachés. Tout être,
même s'il a connaissance de ses complexes d'in-

fériorité, tend fatalement un jour, non plus à les admettre, mais à les vaincre et, quel que soit le résultat de la lutte, il a au moins l'espoir d'en triompher. Pour cela, les plus faibles emploient des armes déloyales. C'est le cas de Verlaine. Et comme il craint que « dans l'île », ses anciennes relations ne l'accueillent mal, il se terre à Lymington, tandis que son « élève », dont jalousement il n'indique l'adresse à personne, habite non loin de là, dans une autre petite ville.

Quel bonheur aussitôt le pénètre !

Il fait un de ces temps ainsi que je les aime,
Ni brume ni soleil ! Le soleil deviné,
Pressenti ; du brouillard mourant dansant à même
Le ciel très haut qui tourne et fuit, rose de crème.
L'atmosphère est de perle et la mer d'or fané.

Tout ce que nous savons, ou que nous devinons plutôt, c'est que, séparés durant la semaine, les deux amis échangent une correspondance en règle.

O ses lettres d'alors ! les miennes elles-mêmes !
Je ne crois pas qu'il soit des choses plus suprêmes.
J'étais, je ne puis dire mieux, vraiment très bien
Ou plutôt, je puis dire tout, vraiment chrétien.
J'éclatais de sagesse et de sollicitude,
Je mettais tout mon soin pieux, toute l'étude
Dont tout mon être était capable, à confirmer
Cette âme dans l'effort de prier et d'aimer.

Est-il possible qu'il ne soit pas sincère? Mais il l'est, scandaleusement. L'équilibre assuré, il vit dans l'euphorie qui lui fut si longtemps interdite. Jamais encore il n'a savouré semblable sérénité. Jamais il ne s'est senti plus complètement heureux. Cela dure trois mois et demi. Puis en janvier 1880, Verlaine ramène Lucien à Coulommes, où les parents du jeune garçon, alarmés par les bruits qui courent le pays sur son compte, le réclament. Or vivre sans cet enfant est impossible à Paul. Une ferme qu'il achète dans le pays lui permet de vivre avec le jeune garçon.

Verlaine a toujours aimé l'existence campagnarde.

> *La bise se rue à travers*
> *Les buissons tout noirs et tout verts,*
> *Glaçant la neige éparpillée*
> *Dans la campagne ensoleillée.*
> *L'odeur est aigre près des bois,*
> *L'horizon chante avec des voix,*
> *Les coqs des clochers des villages*
> *Luisent crûment sur les nuages.*

On pense à Van Gogh, à Jongkind, aux premiers impressionnistes qui découvrirent, du temps de Ravier dans l'Isère, les « terres froides » et qui nous ont laissé tant d'aquarelles encore humides — semble-t-il — d'avoir été lavées, en plein air, un jour de brouillard. Je sais, nous savons tous, que le musicien chez Verlaine

rivalise avec le poète. Toutefois, on néglige trop
le peintre. Ses moindres « croquis », ses pochades
sont d'un art prestigieux. Comme la plupart des
émotifs, Verlaine éprouve en face de la nature
un besoin de se fondre, de s'abîmer en elle qui
passe de beaucoup ce que ses prédécesseurs
sont parvenus à nous communiquer. Chez Baudelaire, c'était la mer qui déclenchait l'ivresse
totale, le complet Nirvanah. Mais Baudelaire
possède une âme, un cœur, des sens virils. S'il
voit, dans l'Océan, l'image de l'infini et cède à
son appel, c'est comme un « homme libre » que
cette immensité n'absorbe pas intégralement. Au
plus profond du gouffre, il demeure lucide, tandis
que Verlaine n'aspire à disparaître au sein de
la nature que pour participer à ses métamorphoses et perdre ainsi jusqu'à la notion qu'il
pourrait conserver du monde et de lui-même.
Baudelaire enregistre. Verlaine subit. Chez le
premier, extase surveillée, dirigée, raisonnée.
Chez le second, identification du poète avec le
paysage, enivrement pour ainsi dire panique.
Baudelaire, c'est Théocrite; Verlaine, c'est
Orphée.

Fuite, plongeon dans l'Inconnu, c'est pour
l'inconnu en soi qu'il le recherche et non pas
pour y découvrir « du nouveau ». Qu'en ferait
Verlaine? Nul n'en est moins curieux que lui...
mais cette absorption totale ou, s'il faut user
d'un mot à la mode, cette migration de ses facul-
tés à travers le Kosmos, où il pourra renaître

sous quelque autre apparence, dénotent la tenace
et quotidienne hantise du rêve qui ne cessa de
l'habiter. Comme à Lymington, il continue donc,
à Coulommes, de maintenir l'équilibre entre
Lucien et lui.

Equilibre spirituel ou physique? Verlaine ne
le dit pas. Il ne souhaite, cependant, que conserver avec le jeune garçon un contact où ses
seules décisions demeurent celles du maître. Et
ces décisions ne se bornent pas uniquement à la
bonne harmonie qui règne entre eux; elles
s'étendent à l'entreprise rurale qu'il projette,
aidé par les parents de *son* fils, de rendre produc-
trice grâce à une habile gestion. Ses tableaux de
la vie campagnarde ne manquent ni de fraîcheur
ni de relief. Lucien travaillait dans les champs.

J'y voyais ton profil fluet sur l'horizon
Marcher comme à pas vifs derrière la charrue,
Gourmandant les chevaux ainsi que de raison,
Sans colère, et criant diah et criant hue :

Je te voyais herser, rouler, faucher parfois,
Consultant les anciens, inquiet d'un nuage,
L'hiver à la batteuse ou liant dans nos bois;
Je t'aidais, vite hors d'haleine et tout en nage.

Le dimanche, en l'éveil des cloches, tu suivais
Le chemin de jardins pour aller à la Messe;
Après midi, l'auberge une heure où tu buvais
Pour dire, et puis la danse aux soirs de grand'liesse..

Hélas! tout ce bonheur que je croyais permis,
Vertu, courage à deux, non mépris de la foule,
Mais pitié d'elle avec très peu de bons amis,
Croula dans des choses d'argent comme un mur croule.

En pouvait-il être autrement? Verlaine, chef d'entreprise! Il ne possédait aucune des aptitudes nécessaires mais, derrière ce paravent, il abritait le grand miracle de son union avec Lucien. Tout allait bien à Juniville. Les Létinois laissaient jaser les gens. Stéphanie s'était résignée à cette nouvelle toquade de Paul. Et lui qui sentait bien le côté scabreux de l'aventure, se surveillait, de peur qu'un scandale imprévu ne compromît sa béatitude.

Le petit coin, le petit nid
Que j'ai trouvés,
Les grands espoirs que j'ai couvés,
Dieu les bénit.
Les heures des fautes passées
Sont effacées
Au pur cadran de mes pensées.

On n'est pas plus sournois.

J'ai sur ma table, en écrivant ces lignes, une photo de Verlaine vêtu du fameux pardessus à col de loutre ou de castor, qu'il possédait avant que — selon la légende — les internes de l'hôpital Broussais lui en offrissent un, pour ses visites académiques. Son front nu, dégarni, le coiffant comme d'un casque, son œil fixe, sa narine crispée, sa bouche fureteuse, sous la moustache humectée de boisson, c'est bien le témoignage le plus étonnant que nous possédions sur le poète. Il nous donne l'image que ce dernier désirait que l'on se formât exactement de lui et correspond on ne peut mieux à l'idée que chacun se fait, après la lecture de ses vers, d'un homme en même temps astucieux et candide et qui, sous une apparente dignité, ne guette que l'occasion de céder à ses vices et de s'en pourlécher.

> *Car vraiment j'ai souffert beaucoup!*
> *Débusqué, traqué comme un loup*
> *Qui n'en peut plus d'errer en chasse*
> *Du bon repos, du sûr abri ...*

Mais le sûr abri, il l'avait. On aurait même pu croire qu'en lui offrant cette dernière chance, Dieu voulait l'éprouver. Verlaine d'ailleurs, après la mort du jeune garçon, en convient humblement :

Mon fils est mort. J'adore, ô mon Dieu, votre loi.
Je vous offre les pleurs d'un cœur presque parjure...

Tout le poème est admirable. On comprend que le malheureux qui — durant une certaine période — a cru son rêve enfin comblé, souffre de retomber sur la terre et d'y être en butte à la plus atroce réalité. Il a vendu la ferme, puis

fait racheter par sa mère la maison de Malval,
dont le nom seul est lourd de maléfices. Il se
saoule. Il est toujours saoul. Les jeunes villageois répondent à ses avances par des sarcasmes
et parfois par des coups. On l'appelle « l'Anglais
de Coulommes ». Au procès de Vouziers, des
gens déposent contre lui et le font condamner.
Il se défend en vain. Les garnements qu'il croise
sur la route feignent, aussitôt qu'ils l'aperçoivent,
de tituber, de s'accrocher aux arbres ou aux
poteaux télégraphiques. Et plus il boit afin d'oublier Lucien, plus il le découvre partout...

Il en est presque halluciné :

> *Je te vois encore à cheval*
> *Tandis que chantaient les trompettes*

soupire-t-il.

> *Je te vois toujours en treillis*
> *Comme un long Pierrot de corvée,*
> *Très élégant sous le treillis,...*
> *Je te vois autour des canons,...*

Toutefois, quand il songe que Lucien l'aurait
quitté plus tard, afin de se marier, il convient
que sa peine est peu de chose en comparaison
de celle que la destinée ne pouvait que lui
réserver. Verlaine alors ne se paie pas de mots.
La vie qu'il mène est lamentable et, quoi qu'il
tente pour y échapper, il conclut que c'est impossible, que le miracle ne se produira plus.

CHAPITRE X

Une lettre du 26 janvier 1887 adressée à Léon
Vanier, son éditeur, établit « le bilan » de la
fortune de Verlaine, après la mort de Stéphanie :

Actif.

De mon héritage par ma mère, après tout décompte par suite de l'acte de ma femme du 25 janvier 1886............................	3.500	»
De mon héritage de ma tante, etc... Immeubles.................................	1.500	»
Action ou obligation de l'Est (je crois) environ 800 ou...........................	700	»
	5.700	»

Passif.

Service de ma mère, enterrement, dépenses de nourriture et diverses..................	1.580	»
Tombeau au cimetière de Clichy, Paris....	800	»
Frais d'enregistrement pour succession de ma tante................................	140	»

Voyage d'Arras, dépenses légales.	250	»
Dettes de ma mère, depuis le commencement de novembre ou fin d'octobre, médecin, drap pour ensevelissement, etc., environ. . . .	300	»
Ma nourriture et logement, environ 5 fr. par jour.	1.825	»
	4.895	»
Actif (*toujours approximatif*).	5.700	»
Passif	4.895	»
Reste	805	»

« Il y a cent francs de vêtements, mentionne Verlaine, mais cent francs de vente de quelques articles mobiliers. Enfin le compte est à peu près... »

Un billet adressé dans le courant du mois au même Vanier contenait ce passage :

« Besoin beaucoup des argents. Vrai, sans blague. Pressé. Pressé. »

Huit cent cinq francs, même à l'époque, ce n'était pas grand-chose. Mais ce que le poète n'indique pas dans cette lettre — ce qu'il ne fait que désigner par « tout décompte par suite de l'acte de ma femme du 25 janvier 1886 » — mérite de nous arrêter. Le montant des obligations découvertes par Chanzy dans la paillasse de la morte s'élevait à vingt mille francs. Or, le surlendemain de l'enterrement auquel elle avait assisté, Mathilde dépêchait le juge de paix du XIIe arrondissement à son ex-mari. « Litté-

ralement, note Porché dans son *Verlaine tel qu'il
fut,* elle le dépouillait. »

Ce matin du 25 janvier, « mossieu Paul »,
encore couché, classait divers papiers, quand il
vit entrer son logeur flanqué d'un personnage
sévère à favoris. L'Auvergnat paraissait penaud.

— C'est rapport à votre dame! annonça-t-il
en désignant le visiteur. Ou plutôt à l'avoué de
votre dame, maître...?

— Oui, de M⁰ Guyot-Sionnest, compléta
l'autre.

Et, consultant une fiche qu'il tenait à la main :

— Vous êtes Verlaine Paul, homme de lettres,
demeurant 6, cour Saint-François?

— Ah! fit ce dernier. Vous venez de la part
de Mathilde?

Il comprit aussitôt de quoi il s'agissait et grommela :

— Une femme d'ordre. Elle pense à tout.

— J'ai pour mission, dit alors l'officier minis-
tériel, d'apposer les scellés sur la porte de la
chambre.

— Quelle chambre? interrogea l'hôtelier.

— Mais... de Mme Verlaine mère, décédée
— selon ce procès-verbal — le 21...

Chanzy croyant que « mossieu Paul » ne le
démentirait pas, examina l'individu aux favoris.

— Oui, oui, dit-il l'air innocent. C'est exact.
Seulement, vous arrivez trop tard : on a tout
nettoyé là-haut. C'est même loué. J'ai quelqu'un
depuis hier.

— Invite donc monsieur à s'asseoir, conseilla le poète, à mi-voix.

Dédaignant l'offre, le juge de paix fit observer sèchement :

— Il est regrettable d'avoir agi avec tant de célérité. En cas de décès, la loi exige qu'un inventaire des biens soit dressé dans...

— Et quand ces biens se résument à peau de balle? interrompit le logeur en regardant son locataire pour que celui-ci confirmât son témoignage.

— Non, Chanzy, pas d'histoires! protesta Verlaine. Tu sais que l'argent et les titres trouvés chez ma pauvre maman ne sont pas ma propriété.

— Qu'est-ce que vous dites?

— Voici, prononça gravement le poète en prenant sous son traversin la liasse d'obligations qu'il tendit d'un air noble à l'envoyé de Mathilde.

— Ça... Pour être poire, parole! Je ne croyais pas que vous puissiez l'être à ce point! murmura le tenancier, découragé.

Verlaine se contenta de sourire.

— Veuillez seulement me donner quittance, dit-il, pendant que Chanzy s'assenait de grandes tapes sur le crâne.

— Monsieur, ne put s'empêcher d'affirmer non sans quelque solennité le personnage à favoris : vous êtes un honnête homme!

— Naturellement! Que pensiez-vous que je fusse?

— Un fou! clama Chanzy.

Le logeur avait beau savoir depuis longtemps que les artistes ne se comportent point comme de vulgaires mortels, il n'aurait jamais supposé que « Mossieu Paul » fût à un tel degré dépourvu de bons sens. Passe encore s'il avait été riche! Mais un pauvre diable de son espèce? Sans compter qu'il était malade! Incapable de sortir, de s'occuper de ses intérêts. Décidément, « M'âme Stéphanie » avait raison de n'être pas tranquille avec un numéro pareil. Il n'avait qu'à continuer, il irait loin.

— Ne te frappe pas! conseilla doucement Verlaine.

Chanzy haussa les épaules.

— Si votre mère était de ce monde, maugréa-t-il, croyez-vous qu'elle serait contente de ce gaspillage! Elle aurait mieux aimé vous voir boire! Car cet argent que vous gâchez, était le sien. Elle l'avait mis de côté pour vous. Je me serais douté d'un coup pareil, bien sûr, je ne vous aurais passé le magot que plus tard... une fois les choses en règle.

— Serviteur! conclut alors l'envoyé de maître Guyot-Sionnest, en s'inclinant devant le poète.

Chanzy indiqua le chemin :

— La porte au fond. Traversez la buvette, puis dans la cour, à gauche... Et vous riez! poursuivit-il, en s'adressant à Paul sur un ton de reproche. Certainement, y a de quoi rire... Vous êtes heureux?...

— Ecoute, fit Verlaine péremptoire. Je conçois ton désappointement. J'aurais dû te régler mon ardoise, mais, sincèrement, je n'y ai pas pensé.

— Quoi? protesta l'hôtelier. Quelle ardoise? Permettez! Il ne s'agit pas d'ardoise. A présent que vous êtes de sang-froid, ça vous fait une belle jambe de vous être conduit, comme vient de le dire le type, en honnête homme?

— En hidalgo! rectifia le poète. Retiens le terme, il s'accommode mieux à ma nature.

Rayonnant de satisfaction, Verlaine désigna les papiers étalés devant lui sur le drap. Ses rideaux — les fameux rideaux d'andrinople, noirs à fleurs rouges — étaient tirés contre le mur. Une lumière brumeuse entrait par la fenêtre.

— Eh! oui. Bien sûr... Un hidalgo! répéta-t-il en essuyant ses verres. Voilà ce que je suis. Et on en conviendra plus tard, sois-en certain. Quant à ma jambe (il assujettit son lorgnon et considéra le logeur), belle ou pas belle, elle me fout la paix, ce matin.

Puis comme Chanzy, décidément, ne semblait pas comprendre :

— Allume ma lampe, dit-il. Tu veux?

*
**

On s'est longtemps demandé pour quel motif Verlaine s'est ainsi comporté. Un pareil désinté-ressement cadrait mal avec son caractère :

pourtant, les faits sont là. Mathilde, qui ne pouvait, en raison du régime de la communauté sous
lequel le mariage avait eu lieu, exiger que la
moitié de la succession, la touchait tout entière.
Est-ce que Verlaine craignait de s'attirer quelque
méchante affaire? Ou s'est-il dit qu'il fléchirait
son ex-épouse et obtiendrait de reprendre la vie
commune? Ces raisons ne sont pas concluantes.
Paul n'a jamais été très généreux. S'il a dilapidé
les restes d'une fortune dont ces vingt mille
francs constituaient la dernière réserve, c'est par
suite de regrettables lubies. A Malval, il avait
offert un manège de chevaux de bois à un forain.
Un prêtre, l'abbé Sallard, lui devait quinze cents
francs. La dispense du service militaire de Lucien
lui avait coûté la même somme. Enfin, sans être
avare, il n'était pas « donnant ». Rimbaud s'en
est assez plaint au début de leurs relations. Il
est vrai qu'il ne s'est jamais donné la peine de
prendre Verlaine au sérieux. Le « vieux » n'avait
d'autre mission à remplir que de « casquer »!
C'était à ce seul titre qu'Arthur supportait sa
présence. Casquer sans discuter, sinon... Il suffit
de lire la confession que, dans *Une saison en
enfer*, le jeune prodige attribue à Verlaine :
« Mais oui, lui fait-il dire, j'ai été bien sérieuse,
jadis... J'ai oublié tout mon devoir humain pour
le suivre. Quelle vie! La vraie vie est absente.
Je vais où il va, il le faut. Et souvent il s'emporte
contre *moi, la pauvre âme*. C'est un démon, vous
savez, *ce n'est pas un homme*. »

Cette effarante lucidité ne devait point inciter Paul à délier les cordons de sa bourse. Outre qu'il y répugnait d'instinct, il jugeait superflu de procurer, par ses largesses, de nouvelles occasions à l'*Epoux infernal* de le tourner en ridicule... Il y a loin cependant de la ladrerie que Paul montrait envers Arthur au détachement dont il fit preuve avec Mathilde. Peut-être la mort de sa mère l'avait-elle poussé à se dire, mais cette fois tout de bon :

Que tout est vain sous le soleil

et que la pension de son fils Georges n'avait jamais été payée. Depuis que Mathilde la réclamait, le poète s'était toujours gardé de répondre. En échange, son fils d'élection avait été comblé de dons, d'égards de toute espèce. Paul les avait prodigués aveuglément. Mais Lucien était mort et Verlaine en avait souffert d'une façon atroce, tout en s'inclinant devant la décision divine :

Vous châtiez bien fort. Mon fils est mort, hélas!
Vous me l'aviez donné, voici que votre droite
Me le reprend à l'heure où mes pauvres pieds las
Réclamaient ce cher guide en cette route étroite.

Est-ce que, par un refoulement dont il a fourni maints exemples, le poète n'a pas alors reporté sur Georges la tendresse et le dévouement que Dieu n'avait pas voulu qu'il manifestât

plus longtemps à Lucien? Cette explication
n'offre qu'un mérite, mais il compte : celui d'être
sensé et de concorder avec certains principes
auxquels la justice du ciel avait cruellement
rappelé Paul. Qui sait si, tout d'un coup, le
pécheur qu'il s'accusait d'être, n'a pas compris
où se trouvait son devoir! Il venait de perdre
Stéphanie dans des circonstances lamentables,
et la douleur qu'il avait éprouvée ne pouvait que
réveiller celle qui ne s'était jamais endormie. La
blessure mal cicatrisée saignait. Paul voyait en
cette mort une punition d'En-Haut et, comme
il mêlait Dieu aux moindres événements de sa
vie, il semble assez normal qu'il ait, à cet instant,
voulu racheter sa conduite par un geste qui, tout
en rehaussant le poète dans sa propre estime,
lui fournissait une raison de s'acquitter envers
son fils d'une dette imposée par la loi.

Les obsèques de Stéphanie ne remontent qu'à
quelques jours. Paul y pense constamment; il
en est resté meurtri, corps et âme. Dites-vous
qu'il n'a pas vu la morte, que tout cela tient du
cauchemar, de la folie. Le lent ébranlement du
convoi sur le pavé de la cour, le grincement des
roues du char, les chants funèbres et ce piéti-
nement des gens dans le silence où, soudain,
une réflexion faite à voix haute par un badaud
vous parvient à travers l'engourdissement de la
douleur, comme sous l'épaisse touffeur d'un
sommeil léthargique, Paul en conserve un si
brutal déchirement qu'il est capable d'agir à la

façon d'un somnambule, d'un rêveur éveillé.
Cette lugubre mise en scène, dont il reconstitue
sans peine les détails, correspond à sa nature
d'artiste. Il ne cesse de l'avoir devant les yeux.
Son tour viendra d'être porté sur le même corbillard. Et les mêmes bruits retentiront autour
de sa dépouille en suscitant l'écho d'une poignante sympathie dans le cœur d'un ami, peut-
être d'un inconnu qui aura lu ses vers, d'une
femme — (mais laquelle?) — et surtout de son
fils. Quel que soit son état d'esprit, c'est à
Georges qu'aboutissent toutes les réflexions de
Verlaine. Le cortège franchira la porte du petit
cimetière des Batignolles où Stéphanie n'a encore
passé qu'un temps, si court en comparaison de
celui qu'elle y devra dormir. La foule s'engagera
dans l'allée de gauche, entre les arbres, parmi
les mausolées où la sépulture des siens lui apparaît telle qu'il l'a décrite :

> *Un grand bloc de grès; quatre noms : mon père*
> *Et ma mère et moi, puis mon fils bien tard*
> *Dans l'étroite paix du plat cimetière*
> *Blanc et noir et vert, au long du rempart.*

Il voit ce rempart et cette tombe. Mais la tombe
de Lucien... quelle tristesse! Comme c'est loin,
Ivry! Est-ce que les morts ne communiquent pas
entre eux sous terre, ou tout au moins, Seigneur,
est-ce qu'ils ne savent pas que désormais, durant
des siècles, ils attendent l'heure de la Résurrec-

tion pour courir l'un vers l'autre, se chercher,
s'appeler, se revoir et s'étreindre? Quelquefois,
Verlaine prend un fiacre, qui le conduit... là-bas.

> *Le cimetière est trivial*
> *Dans la campagne révoltante...*

Des fleurs bleues, roses, blanches. Des cou-
ronnes de perles. Paul se découvre et se signe
pieusement, il récite :

> *Un très humble « De Profundis! »*

Comme si Lucien comprenait qu'il est là, tête
nue par ce vent froid, glacial. Hélas!

> *Voici le soir gris qui descend;*

constate-t-il résigné :

> *Il faut quitter le cimetière,*
> *Et je m'éloigne...*

On pourrait enchaîner :

> *Au vent mauvais*
> *Qui m'emporte*
> *De çà, de là,*
> *Pareil à la*
> *Feuille morte...*

CHAPITRE XI

D'où vient que la plupart des biographes de Verlaine évitent d'insister sur ses dernières années? Je me suis posé bien des fois la question, sans arriver à la résoudre. Est-ce par pudeur envers le poète ou par égard pour l'homme qu'on affecte de penser qu'à partir de la disparition de Stéphanie, le reste importe peu? Je ne le pense pas. Puisque, au dire de ses admirateurs, cette période est négligeable, admettraient-ils par hasard que si Verlaine était mort lui aussi, environ 1886, sa gloire aurait le même éclat? Le moins qu'on puisse répondre à cette supposition est qu'il manquerait au poète d'avoir, selon le mot de Kipling, « payé le prix » de son passage sur terre. Chez lui plus que chez tout autre, on ne comprend bien le poète qu'en fonction de l'homme. Je dirais même que le premier ne serait point aussi sublime, aussi pathétique, sans le second.

Ne craignons donc pas d'aborder — avec toute

la franchise et toute la pitié nécessaires — le clochard titubant, abruti par ses vices, le prodigieux artiste qu'a été ce poète maudit.

« Un matin, rapporte Marcel Schwob, je suis allé chez Verlaine dans une auberge borgne. Inutile de vous la décrire. Je pousse la porte. Verlaine était couché. On voyait des mèches de cheveux, de barbe et un peu de peau de son visage : de la cire d'un vilain jaune, gâtée.

« — Vous êtes malade, maître ?

« — Hou ! Hou !

« — Vous êtes rentré tard, maître ?

« — Hou ! Hou !

« Sa figure s'était retournée. J'ai vu toute la boule de cire dont un morceau enduit de boue ; la mâchoire inférieure menaçait de se détacher. »

Et Schwob conclut :

« Sur la table de nuit, il y avait un livre. C'était un Racine. »

Cette visite, datée du 20 juillet 1890, c'est-à-dire précédant de six années la mort du poète, nous laisse sur une vision d'horreur que la présence des œuvres de Racine n'arrive point à dissiper.

De son côté, Alfred Vallette déclarait :

— C'est simple, lorsque je rencontrais Verlaine sur un trottoir, je prenais l'autre.

Et Charles Maurras, à qui je demandais quelle image il gardait du merveilleux poète de *Romances sans paroles,* m'a répondu :

— Nous nous trouvions un soir d'hiver, du

Plessys, Moréas et moi, dans un café à l'angle
de la rue Corneille et de la rue de Vaugirard.
Quelqu'un entra. C'était Verlaine qui, totalement
insensible à l'émoi qu'il provoquait en nous et
s'aidant du bâton qui lui servait de canne, finit
par s'accrocher à une table. Il était ivre : outra-
geusement. Et il riait. Tout à coup, il tira de ses
poches un mouchoir noir de crasse, innommable,
un chapelet, un couteau, des quignons de pain
et les étala devant lui. « Ah! maître! maitre! »
s'écria du Plessys en se dirigeant vers le malheureux. Verlaine le regarda, nous regarda puis,
ramassant soudain mouchoir, chapelet, couteau
et quignons de pain, il les fit disparaître, s'ache-
mina vers la sortie, et disparut dans la rue sombre
avant d'avoir pu seulement articuler un mot.

En perdant Stéphanie qui connaissait le goût
immodéré de son fils pour l'alcool, Verlaine,
hélas! ne pouvait qu'en arriver là. La vieille dame
cependant avait lutté jusqu'à la fin. Elle surveillait les visiteurs que recevait Paul et n'entendait pas qu'il fréquentât des « artistes ». Il fallait
d'abord plaire à sa mère, pour être admis, cour
Saint-François, dans la chambre du poète. En
parlant de Stéphanie, Moréas disait à Paul :
« Madame votre mère » et la décrivait comme
une « grande vieille à la noble maigreur ». De
son côté, Ernest Raynaud, qui avait su capter la
sympathie de la veuve du capitaine, la présente
sous l'aspect d'une « septuagénaire encore solide,
simple et cordiale, à qui l'âge (toutefois) et les

déboires avaient quelque peu brouillé la tête.
Son portrait à trente ans prouvait qu'elle avait
été belle et mérité (la phrase est de Raynaud)
l'apostrophe de Germain Nouveau :

Femme de militaire et mère de poète,
Il vous restait un bruit de bataille et de vers,
Quelque chose de noble et de fier dans la tête.

— Elle est méfiante ! avait expliqué Verlaine.
Je vous donnerai comme employé de ministère.
Qu'il ne soit pas question de littérature devant
elle !

Et Raynaud de poursuivre :

« Le stratagème réussit. Le titre d'employé
de ministère m'installa d'emblée dans les bonnes
grâces de Mme Verlaine et, pour cérémonie d'in-
vestiture, la brave femme me demanda incon-
tinent de fermer les yeux et d'ouvrir la bouche
où elle glissa malicieusement une poignée de
sucre candi. »

Cette façon d'accueil est touchante. Malheureusement, dès que la bonne vieille ne fut plus
là pour opérer un choix parmi les relations de
son fils, ce dernier eut tôt fait de s'abandonner
à ses instincts. En six années, Verlaine qui —
loin d'être un exemple de tempérance — passait
encore dans le quartier pour un poivrot assez
digne, devint un personnage abject et douloureux, dont la dégradation allait au delà de tout
ce que l'on pouvait imaginer. Sa chute ressemble
à une noyade. En effet, la dernière planche de

salut à laquelle il se cramponnait se dérobant,
Verlaine sombra dans un océan d'ignominies.

Un vague « coucher qui tournait au collage »
avec Marie Gambier, marqua le début de sa déchéance. Marie n'était pas une mauvaise fille.
Elle ajoutait pourtant à la vie du poète un élément d'infamie naturelle et de désordre auquel
Verlaine n'avait que trop de dispositions à
céder. De la bourgeoise stricte à cette prostituée,
le changement dut être brutal. Mais Paul ne
s'en plaint pas. C'était la première fois qu'il ins-
tallait chez lui une « créature », et celle-ci ne
tarda point à l'habituer aux nécessités du métier.
Car Marie « sortait » le soir, et Paul, en l'attendant, remaniait d'anciens poèmes ou en composait d'autres, sans s'insurger contre un pareil
état de choses. Lui-même ne le cache pas. Il a
beau porter l'aventure au compte d'un de ses
camarades, c'est de lui qu'il s'agit :

« Ça le dégoûta un instant, et il eut de la peine
à ravaler de l'eau qui lui était venue du dedans
des joues. Puis il se dit, prenant son parti :
« Bah! » Et elle partit pour revenir à onze
heures... Revenir saoule et lui avouer, naturellement, avoir bien *étrenné*...

« Marie se grisait si abominablement parfois,
qu'elle en était malade tout le lendemain, sans
préjudice des inconvénients presque immédiats.
Et quels discours!... Cela dura quatre longs mois.
Jamais il n'avait été aussi bien traité de toutes
les façons; jamais il n'avait aussi, jamais, mon

Dieu, éprouvé un sentiment plus tendre : reconnaissance, estime partielle et piété, admiration humble enfin du corps, instrument parfait de tant de belles joies. »

Mais Marie a quelqu'un en même temps que Verlaine, « quelqu'un de comme il faut : un ouvrier ».

— Ah ! je l'aime bien, dit-elle ingénument, c'est l'homme qu'il me faut...

Vous souvenez-vous de la rencontre de Mathilde et de la demande en mariage que le poète ne put s'empêcher d'adresser le lendemain aux parents de la jeune fille ? Toujours la même histoire. Au moindre intérêt qu'on lui témoigne, Paul se donne tout entier. Sans ce « quelqu'un », la liaison se serait peut-être prolongée avec Marie. Grâce à Dieu, Paul n'est pas du même monde que cette fille, et celle-ci lui vole un soir son porte-monnaie, puis se sauve à toutes jambes.

Gardons-nous de comparer les deux femmes : elles, non plus, n'appartiennent point au même milieu, mais les instincts de Paul n'ont pas varié, et c'est pour cette raison qu'il ne lui a fallu que si peu de temps pour en arriver à la dégradation physique dont parle Marcel Schwob. Le désir de Verlaine, sa hantise d'imposer — dans le ménage — sa volonté, de devenir enfin le fort,

tourne encore à sa confusion. Non seulement
Marie commande et se comporte comme elle
l'entend, mais elle l' « entôle » aussi tranquillement que s'il eût été le dernier des provinciaux.

Or c'est précisément parce que Verlaine n'a pas
changé que je m'explique mal la gêne qu'on
éprouve à prononcer à son sujet un jugement
impartial. « L'étude est la suprême prière »,
disait Léonard de Vinci. D'ailleurs, le véritable
drame de la vie du poète, ce n'est ni tout à fait
son aventure avec Rimbaud ni son amour pour
Lucien, mais plutôt le déséquilibre constant d'une
existence vouée à la poursuite d'une autorité
chimérique. Qu'on ne nous objecte pas qu'à la
mort de sa mère, Paul est redevenu physiologi-
quement normal. Sa grande, son unique aventure
consiste dans le fait qu'il ne put, même alors, le
deviner. Ses maîtresses — s'il est possible de
désigner par ce terme les drôlesses en compagnie de qui il se saoulait — se sont bornées à
remplacer l'absente. Il y a du curé chez Verlaine : ses rapports avec Stéphanie renforcent
cette impression. L'innocente bonne femme n'aurait point été sa mère, on l'eût prise pour sa
sœur, demeurée vieille fille, ou la servante d'un
monsieur prêtre ». Elle tenait le ménage en ordre,
allait elle-même ouvrir la porte aux fournisseurs
ou aux amis et, lorsque le malheureux s'était par
hasard bien conduit, elle le récompensait, ainsi
qu'un enfant sage, d'une sucrerie, comme elle
l'avait fait pour Raynaud.

Mais ses maîtresses, grands dieux!

L'une, fille du Nord, native d'un Crotoy,
Etait rousse, mal grasse et de prestance molle :
Elle ne m'adressa guère qu'une parole
Et c'était d'un petit cadeau qu'il s'agissait.
L'autre, pruneau d'Agen, sans cesse croassait,
En revanche, dans son accent d'ail et de poivre,
Une troisième, récemment chanteuse au Havre,
Affectait le dandinement des matelots
Et m'...engueulait comme un gabier tance les flots,
Mais portait beau vraiment; sacrédié, quel dommage!
La quatrième était sage comme une image,
Châtain clair, peu de gorge et priait Dieu parfois :
Le diantre soit de ses sacrés signes de croix!
Les seize autres, autant du moins que ma mémoire
Surnage en ce vortex, contaient toutes l'histoire
Connue : un amant chic, puis des vieux, puis « l'îlot »,
Tantôt bien, tantôt moins, le clair café falot,
Les terrasses l'été, l'hiver les brasseries,
Et par degrés, l'humble trottoir en théories
En attendant les bons messieurs compatissants,
Capables d'un louis et pas trop repoussants,...

Verlaine n'était pas de ceux-là, mais, de tout temps, il a cherché refuge auprès de sa mère. Stéphanie le consolait, elle le berçait comme aux jours de son enfance. Lors de la fuite avec Rimbaud, Mathilde a d'abord cru que son mari se trouvait chez la vieille dame. Et plus tard — soit que Stéphanie le rejoigne, soit qu'il accoure vers Stéphanie — Verlaine ne se sent en sécurité que dans le giron maternel. Il a même si bien pris l'habitude de s'y blottir qu'à la mort

LETTRE DE VERLAINE
à Gustave Kahn.

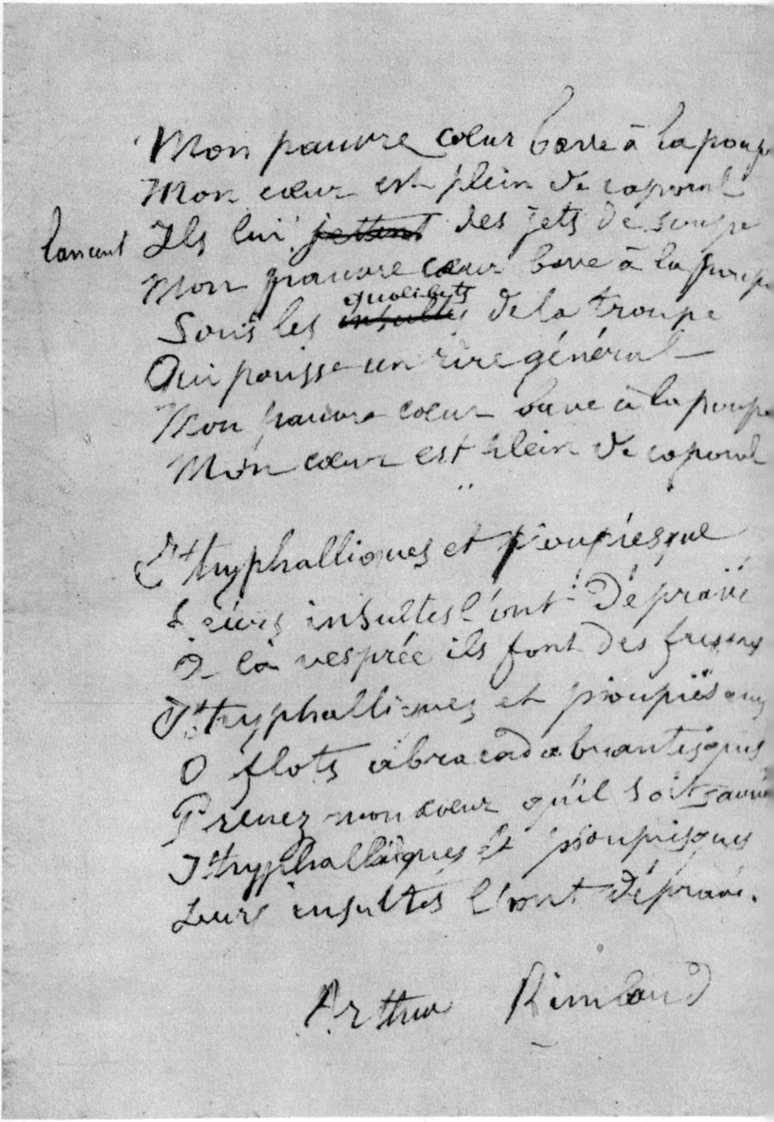
Mon pauvre cœur bave à la poupe
Mon cœur est plein de caporal !
Ils lui ~~jettent~~ [lancent] des jets de soupe
Mon pauvre cœur bave à la poupe
Sous les ~~insultes~~ [quolibets] de la troupe
Qui pousse un rire général
Mon pauvre cœur bave à la poupe
Mon cœur est plein de caporal

Ithyphalliques et pioupiesques
Leurs insultes l'ont dépravé !
À la vesprée ils font des fresques
Ithyphalliques et pioupiesques
O flots abracadabrantesques
Prenez mon cœur qu'il soit sauvé
Ithyphalliques et pioupiesques
Leurs insultes l'ont dépravé.

Arthur Rimbaud

Planche X

VERS DE RIMBAUD COPIÉS PAR VERLAINE
et accompagnant la lettre reproduite à la planche IX.

de l'infortunée, c'est peut-être moins d'elle que de
ce qu'elle représentait à ses yeux qu'il se trouve
tout à coup le plus cruellement frustré.

Une heure sonne dans la vie où chacun touche
la part qui lui échoit : celle de Verlaine ne dut
faire envie à personne. Cependant, le poète ne
pouvait s'en prendre qu'à lui d'avoir si mal mené
sa barque. De la fortune plus qu'estimable dont
son père, le capitaine, avait imprudemment géré
le capital, il lui serait resté, sinon de quoi sub-
sister à son aise, du moins de quoi n'en être pas
réduit, pour vivre, à des besognes où le génie,
comme le talent, risque de s'émousser. Or, c'est
à l'une de ces besognes que l'auteur des *Poèmes
saturniens* fut redevable d'avoir trouvé le titre
de *Poètes maudits;* il ne croyait, sans doute, pas
si bien dire.

Comme tout se suit, comme tout s'enchaîne,

> *Par la logique d'une influence maligne,*

dans la vie de Verlaine! Comme tout finit, impla-
cablement, par se justifier! On croirait que le
malheureux a voulu démontrer qu'on n'échappe
pas à son destin, même si celui-ci emprunte à
la littérature une attitude plus ou moins discutable, où la jeunesse d'une part et le calcul de
l'autre s'unissent pour déterminer le caractère,
un peu factice, de sa soumission à Saturne. Verlaine, bien sûr, n'a pas été seul à subir l'envoûtement des *Fleurs du mal.* Le charme était dans

l'air : il émanait de ce « frisson nouveau » qu'avait
goûté Victor Hugo à la lecture de ces vers si
étranges. Mais qu'un débutant de la classe de
Verlaine ait, spontanément, engagé toute son
existence au service de cette poésie, et qu'il ait
par la suite poussé si avant le scrupule ou la faiblesse que ses dernières années sont comme
l'expiation des excès à quoi Baudelaire avait eu
recours pour provoquer l'inspiration, il y a là
quelque chose de si exceptionnel, que le poète
de la première heure ne peut en être que grandi,
même si nous le retrouvons abruti par l'alcool
et rongé par le désespoir. On éprouve en sa présence la stupeur qu'il devait avoir ressentie près
de Rimbaud quand, le regardant dormir, il se
demandait pourquoi son compagnon « voulait
tant s'évader de la réalité ».

Qu' importe donc qu'à l'origine, le choix de son
attitude manque de naturel, la Fatalité s'est
chargée d'opérer en cette vie un renversement
qui n'a au fond rien de mystérieux, si l'on considère que, comme l'a écrit Emerson : « les événements poussent sur la tige du caractère ». Sans
ce renversement, Verlaine n'eût guère été qu'un
raté de génie ; grâce à lui, le génie fait figure d'un
demi-dieu, frappé par une malédiction dont la
cause nous échappe en partie (puisqu'il faut
tenir compte de l'hérédité), mais dont les effets
multipliés se traduisent de si tragique manière,
qu'on ne peut que plaindre l'homme qui les a
subis.

**

Une première fois la prison de Mons, une seconde fois celle de Vouziers avaient conféré à l'œuvre de Verlaine un tel accent d'humanité que nul ne s'y trompait plus.

> *La cour se fleurit de souci*
> *Comme le front*
> *De tous ceux-ci*
> *Qui vont en rond...*

a tristement scandé le poète au souvenir de ces années sinistres. Et, dans le même poème :

> *Pas un mot ou bien le cachot,*
> *Pas un soupir.*
> *Il fait si chaud*
> *Qu'on croit mourir...*

Certains êtres, appelés à payer la rançon de leurs frères, seront toujours marqués d'un signe qui les fait reconnaître entre tous. En les élisant, le destin a certainement voulu prouver que la souffrance rachète, purifie tout. Et après la prison, l'hôpital. Rien n'aura donc manqué à Verlaine pour justifier un pareil choix. Mais sa mère qui ne voyait en lui que l'enfant dont elle avait guidé les premiers pas, se refusait à laisser aller Paul au-devant de nouvelles humiliations. Elle a lutté jusqu'à ses dernières forces, afin de le

garder cour Saint-François. Hôpital et prison,
c'était trop! Néanmoins, lorsque Stéphanie ne
fut plus là pour le soigner, il fallut bien que Paul
reprît le chemin de Broussais; il y avait, un an
plus tôt, fait un séjour de quelques semaines et
n'éprouvait aucun désir d'y retourner. Lui, qui
feignait de n'attacher qu'une médiocre importance à ses deux condamnations et à tout ce
qu'elles entraînaient d'opprobre, redoutait qu'une
seconde admission dans la salle Follin ne le
diminuât aux yeux de ses confrères.

« C'est peut-être un peu bien traditionnel et
bien poétique, ça l'hôpital! » écrivait-il à son éditeur. Mais il souffrait. « Jambe toujours la
même », mentionne cette lettre du 6 février 1886.
Il avait besoin d'être libre. « Dans ma situation,
laisse-t-il entendre au sujet d'*Amour* et de *Parallèlement* qu'il voulait publier coup sur coup, il me
faut déployer une double « activité ».

Notons que, — par une ironie somme toute
vengeresse ou — qui sait? — par cet esprit de
contradiction dont Verlaine a tiré tant d'effets
surprenants, — c'est en partie à ses malheurs que
le poète dut d'attirer sur lui l'attention du public.
Longtemps, il n'avait été apprécié que de quelques
fidèles et d'un petit groupe d'inconnus. Quant
aux Coppée, aux France, aux Leconte de Lisle,
qui composaient avec Théodore de Banville le
« Comité des quatre » chargé de recevoir ou de
rejeter les collaborations au *Parnasse contemporain*, ils reprochaient à l'ancien détenu son exis-

tence navrante et se refusaient à l'accueillir parmi eux. France aurait même inscrit en marge des poèmes de Verlaine, présentés par Emile Blémont : « Non. L'auteur est indigne et les vers sont les plus mauvais qu'on ait lus. »

Or, parmi cet envoi, se trouvait le sonnet admirable de *Sagesse* :

Beauté des femmes, leur faiblesse, et ces mains pâles
Qui font souvent le bien et peuvent tout le mal,
Et ces yeux, où plus rien ne reste d'animal
Que juste assez pour dire : «assez!» aux fureurs mâles,...

Il est vrai que, plus tard, avec la détestable réputation qu'il entretenait avec plaisir, Verlaine a fréquemment passé les bornes. Comment donc, en effet, écrire :

Et ta langue d'homme entendu
Pourlèche ta lèvre gourmande,

sans être sujet à caution? Mais Verlaine se moquait de l'opinion d'autrui.

— Un faune! insinuaient ses amis.

— Quoi, faune? C'est un vieux dégoûtant! ripostaient les jeunes femmes à qui on venait de le présenter.

Toutes se sentaient pourtant troublées, en se rappelant ce seul alexandrin :

Et plein d'odeurs, le Lit défait s'ouvrait dans l'ombre.

Jamais encore on n'a mieux que lui célébré les amours coupables ou défendues, ni su en évoquer les chaudes exaltations.

> *Ta forte chair d'où sort l'ivresse*
> *Est étrangement parfumée...*

fait-il soupirer par la plus « femme » d'un couple des *Amies*. Le tribunal ayant, comme on le sait, condamné plusieurs poèmes des *Fleurs du mal*, Verlaine, pour éviter toute poursuite dont il redoutait à bon droit les stupides sévérités, publiait sous le manteau des vers de la même veine. Ou bien il opérait un retour vers la gaillardise des Maynard, des Sigogne :

> *Rustique beauté*
> *Qu'on a dans les coins,*
> *Tu sens bon les foins,...*

Ou encore, se prêtant à des plaisirs plus raffinés :

> *Sûre de baisers savoureux*
> *Dans le coin des yeux, dans le creux*
> *Des bras...*

Enfin, quand il cédait à une certaine vulgarité qui devait enchanter ses compagnons d'ivrognerie :

> *Ce que t'aimes bien, c'est surtout,*
> *N'est-ce pas, les belles boubouches?*

Cela n'avait d'ailleurs point empêché *la*
Gambier de le quitter au bénéfice de Célestin,
son ouvrier, qui travaillait selon les jours.

D'autre part, l'ardoise du père Chanzy s'élevait
à près de deux mille francs. Et « mossieu Paul »
voyait la note grossir sans penser qu'il faudrait
tôt ou tard la régler. Un petit héritage de sa tante
Rose était tombé au bon moment et aurait pu
tirer le malheureux d'affaire, mais Marie en
avait en majeure partie profité ainsi que les troquets voisins. Quant au poète, cette aubaine
n'avait eu pour lui d'autre conséquence qu'une
nouvelle poussée d'hydarthrose qui le força, cette
fois, à « décaniller » de l'hôtel. C'est ainsi qu'on
vit Paul d'abord à l'hôpital Tenon, puis une seconde fois à Broussais, et, trente ou quarante
jours plus tard, à Cochin. En un an, l'habitude
était prise : une sorte de roulement s'établit.

Je vis à l'hôpital, comme un bénédictin
Des vrais bons temps, faisant mon salut en latin.
Docte, pieux, ça va de soi, mais plutôt, dame!
Docte!...

devait-il bientôt déclarer sans vergogne. On le
connaissait dans les services où les internes
l'adoptaient tour à tour. Ceux de Saint-Antoine,
de Saint-Louis, de Bichat le traitaient presque
en habitué : en dépit du règlement, on tolérait

un peu partout qu'il reçût des visiteurs en dehors
des jours fixés et travaillât le soir, après le couvre-
feu, en gardant sa lampe allumée.

Verlaine s'était vite résigné à cette existence
de reclus. Certains matins — tandis que les infirmiers vidaient les pistolets et distribuaient les
tisanes — le poète éprouvait un singulier plaisir
à écouter la pluie tomber au dehors et s'égoutter
des arbres. Cela lui rappelait, comme il disait,
« des choses... » dont il gardait une nostalgie
bizarre. Parfois, il se croyait encore à Mons, dans
sa cellule et des vers qu'il avait écrits, en souvenir de cette époque, le berçaient :

Car c'était bien la paix réelle et respectable,
Ce lit dur, cette chaise unique et cette table,
La paix où l'on aspire alors qu'on est bien soi,
Cette chambre aux murs blancs, ce rayon sobre et coi,
Qui glissait lentement en teintes apaisées,...

Il n'avait qu'à fermer les yeux : un vague bien-
être l'envahissait, lui était doux à l'âme. Cette
sensation d'isolement et de repos forcé convenait
à sa nature veule. L'hiver surtout, la grosse chaleur du poêle l'emplissait de délices : il griffonnait
une ou deux strophes au dos d'une enveloppe,
les reprenait ensuite, les polissait avec amour à
la clarté de sa petite lampe. A Mons, naturellement, l'existence n'était pas si douillette ; néanmoins, il ne s'était jamais senti dans de meilleures
dispositions pour sacrifier aux Muses. Nuit et
jour, le fracas des locomotives et des rames de

wagons entretenait sous sa lucarne une perpétuelle animation.

L'aile où je suis donnant sur une gare,
J'entends de nuit (mes nuits sont blanches) la bagarre
Des machines qu'on chauffe et des trains ajustés,...

Quel chahut!

Vous n'imaginez pas comme cela gazouille.

Ses insomnies provenaient du sevrage brutal d'alcool auquel on l'avait soumis et elles s'étaient prolongées des mois entiers. Ici, bien entendu, défense de boire la moindre goutte, mais les amis qui lui rendaient visite apportaient en cachette à Verlaine une topette de rhum ou d'absinthe qu'il vidait à même le goulot, dans son lit. Il n'était pas à plaindre. Le « bo » Moréas — comme il l'appelait — Vicaire, Maurice Barrès, Huysmans, Jules Tellier, Mallarmé, La Tailhède, Marcel Schwob, André Gide, Pierre Louÿs et, souvent, l'énigmatique et charitable Mlle Rachilde, qui allait publier *Monsieur Vénus,* venaient le voir. Tous avaient pour Verlaine une espèce de culte et l'admiraient sans restriction. Le snobisme s'en mêlant, l'infortuné n'était à peu près jamais seul durant ses séjours, chaque année plus fréquents, à l'hôpital. Et pourtant, certaines nuits, à l'idée des cafés du boul'Mich' débordants de lumières et de bruits, Paul se disait en vain qu'il les reverrait bientôt et le sommeil le fuyait. Sa seule ressource contre l'énervement consistait à ranimer des souvenirs, car l'imagination se mettait en branle et les heures s'écoulaient, tandis qu'il écrivait des vers dont il finissait par avoir une grande enveloppe bourrée. Il accomplissait le tour de ses compagnons de bohème, de ses maîtresses. Regret, bonheur, désir, cafard... Quelquefois, il ne savait plus comment ni quand telle ou telle rencontre avait eu lieu. Et tout à coup :

Oui, c'était par un soir joyeux de cabaret,
Un de ces soirs plutôt trop chauds où l'on dirait
Que le gaz du plafond conspire à votre perte
Avec le vin du zinc, saveur naïve et verte.
On s'amusait beaucoup dans la boutique et on
Entendait des soupirs voisins d'accordéon,
Que ponctuaient les pieds frappant presque en cadence,
Quand la porte s'ouvrit de la salle de danse
Vomissant tout un flot dont toi, vers où j'étais,
Et de ta voix, qui fait que soudain je me tais,
S'il te plaît me donner un ordre péremptoire,
Tu t'écrias : « Dieu, qu'il fait chaud! Patron, à boire! »

Il s'agissait d'une fille qui venait chaque jour lui raconter les potins du quartier. Elle s'appelait Philomène. Une grande et belle femme du Nord, dont la voix, en traînant sur certaines syllabes, et l'accent lourd aux bouffées de terroir, rappelaient à Paul le pays. Il y avait des mois qu'à ses sorties le poète la voyait qui l'attendait dans un fiacre, près du pavillon du concierge.

Un fiacre, demain, à huit heures
Du matin, nous emportera
Tous deux bien loin de ces demeures
Devers tous les et cœtera

De la vie enfin reconquise,
Bonheur, malheur, et toi toujours!
Car tu m'es la fête promise...

C'était une brune, encore ardente, aux petits
yeux bruns en trous de vrille; elle faisait le trottoir, elle se payait des gigolos : « A ton âge —
lui reprochait le poète — on n'a pas pour rien des
amants de vingt-neuf ans! » Mais, comme elle
correspondait physiquement au type qui lui em-
brasait les sens, il avait failli l'épouser. Elle
lui avait fait les confidences de ses premières
amours et Paul s'était, naïvement, figuré qu'il
serait son dernier amant. Toutefois, il ne ressentait pas l'ombre de jalousie pour le passé de cette
fille. Intempérante, pillarde, menteuse, rapace,
Philomène n'éprouvait guère d'attachement pour
Verlaine. Moins vieille de dix ans que son adora-
teur, elle avait la main leste et ponctuait à la
rigueur ses ordres de claques auxquelles l'autre
répondait. Drôle de ménage, encore une fois.
Et quels cris, quelles batailles! Pourtant, si cette
commère mal embouchée, grasse et violente,
l'avait voulu au moment où « Monsieur Verlain »
songeait au mariage, cet autre long « coucher,
qui tournait au collage » se serait terminé devant
M. le maire. Heureusement pour Paul, la fille
dépendait alors d'un souteneur dont les belles

moustaches la fascinaient. Cet individu proté-
geait le poète lorsqu'il avait trop bu : il l'accompagnait de café en brasserie et déclarait — non
sans une certaine gloriole — en le recommandant
aux flics, lorsque l'ivrogne, décidément, semblait
ne pas vouloir rentrer avant le petit jour :

— Attention! C'est un grand écrivain!

Verlaine, avec un tel mentor, ne risquait rien;
il le savait d'ailleurs. Mais il y avait des nuits où
— subitement — le malheureux recouvrait sa
lucidité. Son regard « couleur gris-myosotis »
devenait farouchement sombre : avant que personne ait eu le temps de s'apercevoir du changement qui s'était opéré dans son âme, le poète
empoignait son bâton et s'éloignait seul en
boitant. Un dessin de Cazals, représentant Verlaine de dos, coiffé d'un chapeau mou et le col
entouré d'un vieux foulard rouge, crasseux, nous
donne fort bien l'image du pauvre homme qu'il
était, traînant sa jambe malade et s'appuyant
sur son gourdin. Nous devons également à Cazals
cet autre portrait, mais à la plume :

> C'est à Gérolstein que jadis
> Vivait un grand poète;
> N'ayant pas un maravédis
> Il en était toujours en quête.
> Mais qu'un libraire intelligent
> Le tirât de sa dèche noire,
> Pour ne pas manger son argent
> Il s'empressait de l'aller boire.

Mieux valait alors ne point trop insister. Verlaine, que l'ivresse plongeait dans une espèce de désespoir, refusait qu'on l'accompagnât. Ceux qui le suivaient à distance, l'entendaient déclamer :

— Comme ça te paraîtra drôle quand je n'y serai plus ce par quoi tu as passé! Quand tu n'auras plus mes bras sur ton cou, ni mon cœur pour t'y reposer, ni cette bouche sur tes yeux... Parce qu'il faudra que je m'en aille très loin... un jour!

— Voyons, qu'est-ce qu'on vous a fait? s'informait un agent qui — par ordre du Préfet de Police — avait pour mission de ramener Verlaine chez lui.

Brandissant son bâton, Paul refusait de répondre, ou, quelquefois, crevant de détresse et s'accrochant piteusement à un réverbère, il gémissait :

— Rimbaud!

La présence du flic lui rappelait son arrestation à Bruxelles, le jour du coup de revolver. Etait-il donc possible qu'il eût voulu tuer Arthur? Cela le consternait. L'alcool et la bière qu'il avait absorbés l'empêchaient de préciser les circonstances au cours desquelles le drame s'était produit, mais il conservait dans l'oreille le bruit d'une double détonation et il croyait revoir, comme s'il venait de la quitter, la chambre d'hôtel où sa mère avait tenté de l'empêcher de tirer. Dans son cerveau congestionné par l'ivresse,

l'image de Stéphanie et celle du jeune garçon
s'agitaient fièvreusement et il en résultait une
confusion si douloureuse que Paul ne savait plus
ce qui se passait. La seule notion un peu précise
qui s'imposait encore à son esprit se rapportait
à Philomène. Mais Philomène — ivre elle aussi,
bien sûr — ne se trouvait plus là. Ni Rimbaud
ni sa mère. Rêvait-il? Alors... quel était ce rêve?

Ceux qu'il faisait le plus souvent étaient lu-
gubres : « Des fois, nous a-t-il confessé dans
ses *Mémoires d'un veuf,* par un grand vent de
pluie, vers le coucher du soleil, pressé d'arriver
quelque part, évidemment, et peu soucieux d'exa-
miner autour, je traverse à grands pas une haute
allée flanquée sur un côté de tombes, d'arbres
déchevelés et de grandes herbes frissonnantes
tandis que vers l'autre bord se creuse une vallée
dont les arbres viennent faire gémir et craquer
leurs cimes juste à ma hauteur et où entre
l'ombre du soir et celle des ramures, luisent des
cippes, des urnes et des croix. »

Ce paysage funèbre semblait surgir de sa mè-
moire comme à dessein de lui prouver que sa
mère était morte. Et il n'y avait pas que ce rêve.
Paul le savait : bien qu'il n'eût pas vu la vieille
dame étendue sur son lit, les mains jointes et les
paupières closes, il devait finalement admettre
que Stéphanie n'appartenait plus au monde des
vivants car, depuis des années, elle avait cessé
de s'occuper de lui, de le soigner. Serait-il aussi
dépenaillé, si sa mère avait été là? Quant à

Arthur, Paul ignorait ce qu'il était devenu. De même que pour sa « vieille maman », on lui avait appris qu'il s'en était allé là-bas, au diable, vers des pays où personne ne se doutait du mal qu'il pouvait faire.

« Nous voyagerons, avait-il annoncé jadis, nous chasserons dans les déserts, nous dormirons sur les pavés des villes inconnues, sans soins, sans peines. »

C'était fatal qu'il eût cédé à son destin. Il le fallait, comme il disait ; Paul se souvenait d'un autre passage d'*Une Saison en Enfer*, où Arthur lui criait :

« Je suis de race lointaine, mes pères étaient scandinaves. Ils se perçaient les côtes, buvaient leur sang. Je me ferai des entailles par tout le corps, je me tatouerai, je veux devenir hideux comme un Mongol ! »

C'était à dessein qu'il avait écrit : « hideux ». Une allusion à sa « sale gueule » à lui, Paul... une gentillesse vraiment exquise. Ou encore, à propos de leurs anciennes folies de Londres, Arthur affirmait par allusion à un autre soi-même :

« Quand il me semblait avoir l'esprit inerte, je le suivais, moi, dans des actions étranges et compliquées, bonnes ou mauvaises : j'étais sûr de ne jamais entrer dans son monde ! »

Ce besoin de s'enfuir, de ne laisser derrière lui aucune trace, Paul l'admettait. Il en avait souffert longtemps. Il en souffrait même encore,

comme ce soir. Mais sa raison avait pris le dessus. Cependant, d'où venait une telle hantise?
Qu'est-ce qui chassait Arthur si loin de ceux qu'il avait ensorcelés? Lorsqu'il était arrivé dans sa vie, pour la bouleverser de fond en comble, à qui, à quoi tentait-il d'échapper? Verlaine ne l'avait jamais su. Et à présent que tout entre eux était fini, il n'en savait pas davantage. Arthur obéissait à des forces obscures, irrésistibles. On aurait presque admis qu'il accomplissait une mission. L'unique chance de comprendre quelque chose à son existence consistait à se dire : « C'était écrit! » Mais Rimbaud avait l'air de se donner des ordres édictés par un autre. Il avait séparé sa personnalité de la conscience que, comme chacun, il possédait de son individu. Le reste n'existait pas. Et pour conclure, il déclarait à son propre sujet :

— Un jour, peut-être, il disparaîtra merveilleusement.

Or ce jour était arrivé. Paul n'aurait pu l'expliquer nettement, mais il éprouvait une angoisse, un malaise gros d'épouvante, lorsqu'il comparait à cette phrase de Rimbaud, celle que Stéphanie lui avait si souvent répétée :

— Tu verras, tu en feras tant qu'un jour je m'en irai sans que jamais tu saches où je suis!

Ni sa mère ni Arthur ne s'étaient concertés en vue d'exprimer la même pensée. Paul en avait la certitude. Stéphanie ne lui voulait pas de mal. La chère vieille femme le chérissait trop pour

VERLAINE ET RIMBAUD A LONDRES
Dessin de F. Regamey.

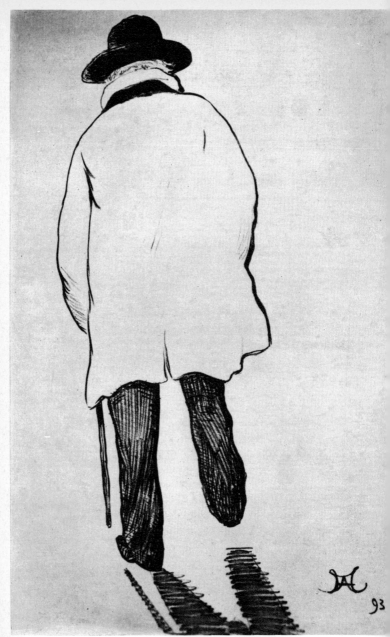

Planche XII

VERLAINE
Vu de dos par Cazals (1893).

cela. D'où provenait donc cette atroce concordance? Que signifiait-elle? Pourquoi menaçait-on de le quitter et, par surcroît de cruauté, pourquoi le rendait-on responsable de cet abandon? Paul avait beau s'interroger, il ne découvrait pas la cause d'une pareille intention.

Etait-il donc maudit? Incarnait-il ce personnage du poète tel que Baudelaire l'a dépeint :

Tous ceux qu'il veut aimer l'observent avec crainte,
Ou bien, s'enhardissant de sa tranquillité,
Cherchent à qui saura lui tirer une plainte...

En effet, avec Létinois, Arthur et Stéphanie représentaient les trois personnes que Paul eût réellement aimées. Mais Lucien Létinois était mort le premier. Et dans des conditions si brusques, si singulières, que le poète n'avait pas un instant douté que cette disparition n'eût été décidée afin de le punir par une inexorable Némésis. Ces pénibles événements se complétaient l'un l'autre. Une volonté secrète y avait présidé. Depuis toujours, Verlaine s'était senti le jouet d'influences maléfiques auxquelles — malgré la sincère contrition de ses fautes — il n'arrivait jamais à se soustraire.

Et voici que, par une nouvelle coïncidence qui devait plus tard l'écraser de tristesse, lorsqu'il apprit la terrible nouvelle de la mort de Rimbaud, Verlaine s'était, un soir d'été, mis à écrire le début d'un poème :

Mes femmes, toutes! et ce n'est pas effrayant :
A peu près, en trente ans! neuf, ainsi que les Muses,
Je vous évoque et vous invoque,...

Ce même soir du 23 août 1891, Arthur, qui avait décidé de regagner l'Orient, prenait un fiacre à sa sortie de la gare de l'Est et se faisait conduire gare de Lyon. Qu'avait donc Paul à récapituler ainsi le nombre de ses amours? Il n'y songeait pas d'habitude. Ces sujets saugrenus ne lui venaient guère à l'esprit qu'à « l'hosto », où il employait le temps à versifier. Cependant, fin octobre, il se faisait porter entrant à Broussais, tandis que, amputé d'une jambe, Arthur était conduit d'urgence à l'hôpital de la Conception, à Marseille, où il rendait brusquement l'âme, le 10 novembre.

Cette fois, l'admirable poème que Verlaine avait publié, en 1888, dans *La Cravache*, sur le bruit de la mort de son ancien compagnon, prenait toute son ampleur :

> *On vous dit mort, vous. Que le diable*
> *Emporte avec qui la colporte*
> *La nouvelle irrémédiable*
> *Qui vient ainsi battre ma porte!*
>
> *Je n'y veux rien croire. Mort, vous,*
> *Toi, dieu parmi les demi-dieux!*
> *Ceux qui le disent sont des fous!*
> *Mort, mon grand péché radieux,*
>
> *Tout ce passé brûlant encore*
> *Dans mes veines et ma cervelle*
> *Et qui rayonne et qui fulgore..*

Hélas ce n'était que trop vrai : la gangrène avait eu raison de cet être prodigieux. En un instant tout s'éteignait et, ce « fils du Soleil » brutalement plongé dans l'ombre, Verlaine pouvait crier sans que personne répondît à son désespoir :

Mort, tout ce triomphe inouï
Retentissant sans frein ni fin
Sur l'air jamais évanoui
Que bat mon cœur qui fut divin!

Quoi, le miraculeux poème
Et la toute-philosophie,
Et ma patrie et ma bohème,
Morts? Allons donc! Tu vis, ma vie!

CHAPITRE XII

Déjà, sans le savoir, au cours d'un précédent hiver, Verlaine s'était trouvé chassé loin de Rimbaud car, tandis qu'il prenait, en compagnie de Lucien, le bateau pour l'Angleterre, Arthur s'embarquait à Marseille, pour Alexandrie puis pour Chypre. On aurait dit que leurs destinées, après s'être un moment croisées, se séparaient par des chemins qui les portaient l'une au Nord, l'autre au Sud, comme afin d'empêcher une dernière rencontre. Confiant en son étoile, Rimbaud cinglait une fois de plus vers l'aventure et Verlaine, prisonnier du cercle où il était condamné à tourner, franchissait le chenal avec l'espoir enfin de vivre heureux. Tous deux ne se doutaient pas que, treize ans plus tard, également par un mois de novembre, ils échoueraient à l'hôpital : Arthur pour y mourir et Paul pour y soigner un mal, certes moins foudroyant, mais qui l'avait atteint à la jambe, lui aussi.

La nature du plus jeune, ses goûts violents, sa frénétique passion d'indépendance ne pou-

vaient — lorsque l'on y songe — que lui valoir
une de ces sombres fins, pathétique et préma-
turée, à la manière de son génie. Peut-être se
forma-t-il alors dans ses dures prunelles — par
un suprême adieu aux amours dont il ne voulait
plus — la douloureuse image que Verlaine
suggère, d'une innocente bête touchée à mort,

Qui voit tout son sang couler sous son regard fané?

Quant à lui, le poète de *Jadis et Naguère*, son
lot, même en se fixant « là-bas, dans l'île » semblait encore de payer, d'expier. Au cours de toute
sa vie, il n'a point fait autre chose. Rimb le savait
et le traitait comme si son rôle n'eût été, sur cette
terre, que de « casquer ». Verlaine, d'ailleurs,
ne s'y refusait pas. Jusqu'au bout, il ne s'est
jamais dérobé aux terribles conséquences de ses
vices.

Néanmoins, c'est l'unique période où Pauvre
Lélian découvrit presque le bonheur. Semblable
à ces enfants qui s'aperçoivent soudain qu'en ne
provoquant pas l'attention du maître, ils peuvent
se ménager des minutes de répit, le poète avait
caché — par la campagne anglaise des environs
de Bournemouth — le jeune Lucien. Il en fait
l'aveu dans *Amour.* Même à Londres, aux heures
de dépression où

Tout l'affreux passé saute, piaule, miaule et glapit,

il éprouve une immense douceur.

Jamais Rimbaud n'a su dispenser à Verlaine

un tel ravissement. Arthur, c'était la fureur sans
objet, la quasi-folie, le délire, les saoulographies
formidables accompagnées d'on ne sait quoi
d'unique, de fabuleux qui, soudain, obligeait tout
à changer de sens, d'aspect, à chanceler — pour
ainsi dire — à vaciller sur le bord d'un
abîme. Il y avait des nuits où — comme il le
rappelle dans l'*Epoux infernal* — Rimb se pos-
tait « dans les rues ou dans des maisons pour
épouvanter mortellement (le vieux) ».

— On me coupera vraiment le cou, proférait-
il ; ce sera dégoûtant !

Verlaine croyait le voir. Durant tout leur séjour
à Londres, Arthur s'était comporté à la façon
d'un somnambule en entraînant Paul dans son
orbe. Il fallait qu'il en fût ainsi : « le vieux »
n'avait pas le choix. Les liens qui l'unissaient à
ce singulier compagnon s'étaient si étroitement
resserrés qu'à l'idée seule de rompre, il se sentait
anéanti. Pourtant, il ne pouvait, il ne voulait plus
de cette existence. Chaque sortie s'achevait par
une bataille où Paul savait qu'il n'aurait pas le
dessus. Au contraire. Est-ce que cela aussi devait
s'accomplir ? Impuissant à mater le « dieu »,
Paul l'implorait, se jetait à ses genoux cependant
que les coups pleuvaient. Il en avait l'âme, la
chair meurtries et, bien que se gardant d'en faire
part à Lucien, il éprouvait d'étranges délices, au
cours de leurs promenades, à se remémorer ces
scènes dont la violence le secouait encore voluptueusement.

— Oh! ta gueule! ta sale gueule! hurlait
Arthur qui le tenait par terre et le frappait de
ses gros poings. Je la vomis! Tu es hideux!

Certains matins, pourtant, lorsque l'énergu-
mène s'attendrissait et parlait d'un « paradis de
tristesse », Verlaine fondait en larmes. C'était
invariablement au lendemain d'excès encore plus
effarants que ceux des autres nuits. Arthur et
Paul en avaient les nerfs ébranlés, les mains
tremblantes. Sous leur fenêtre un *barrel organ,*
dont un mendiant tirait des notes plaintives,
ajoutait au détraquement des deux hommes,
une si violente sensation « d'ailleurs », de « nulle
part » qu'elle les poignait d'une désolation plus
sombre et les poussait à se pardonner récipro-
quement leurs torts. La brume, à travers les
carreaux, formait écran. Elle les isolait du monde.
Et ils restaient blottis des heures l'un contre
l'autre, dans l'épaisse chaleur du lit, savourant,
sans mot dire, ni quelquefois oser se regarder,
des souvenirs

> *... d'heureux*
> *Bras las autour du cou pour de moins langoureux*
> *Qu'étroits sommeils à deux tout coupés de reprises,*

jusqu'à ce que, après avoir ramassé les quelques
« cents » qu'on lui avait jetés sur les briques de
la cour, le mendiant à l'orgue allât plus loin.

*

Un saisissant poème que Verlaine publia dans
La Revue indépendante, décrit assez fidèlement
ce qui — pendant sa vie entière — s'est passé
au fond de son âme. Paul devait certainement
avoir présente à la mémoire son existence de
Londres avec Rimbaud, lorsqu'il composa ce morceau, car les promesses qu'il se faisait de s'arracher à sa liaison demeuraient sans effet. Il avait
beau se jurer de fuir Arthur, il ne pouvait se
passer de lui :

« Dans la chambre quelconque d'hôtel où le
Sage (oui, le Sage... il se voyait ainsi) vivait en
attendant la fin d'affaires ennuyeuses, la pendule
était toute particulière... Un sujet en galvano
bronzé représentait Paul sous un palmier, la
main droite au-dessus des yeux, regardant tous
les jours vers la mer et le cher vaisseau qui ne
ramènera Virginie que pour le naufrage et pour
la mort. Enfin, à la considérer comme pure pièce
d'horlogerie, elle marquait l'heure juste et allait
d'accord avec tous les cadrans officiels de la ville.

« L'originalité de cette pendule consistait en
un phénomène fort simple, d'ailleurs, à expliquer : un grain de poussière à chasser du timbre
ou le verre du globe à reculer et c'était tout.
Mais lui la ressentait douloureusement souvent,
cruellement parfois.

« ...La sonnerie était rauque, mate, sourde,

commençait à sept heures et disait, en coups
secs, sans nulle vibration, comme la toux d'un
poitrinaire, deux heures quand il en était huit,
trois heures quand il en était neuf, *frappant* contraste avec la sincérité des aiguilles et l'aspect
tendre, gai, clair, avenant, du petit meuble en
général.

« Peu à peu, toutefois, ce contraste même lui
plut amèrement, sévèrement si vous voulez. Il
en vint, tant l'habitude de s'appesantir sur les
choses est pour l'esprit un don providentiel, il en
vint, à force d'obstinées réflexions et de souffrance bien acceptée, à tirer de ce minime supplice, comme les forts savent le faire de tous les
supplices, une philosophie qu'il serait ridicule
de résumer en ce court essai mais dont voici du
moins les lignes essentielles :

« Tu ressembles, dis-tu, à cette pendule? Tu
lui ressembles trop et pas assez. Trop, car tu
détonnes. Bon, tu es mauvais; vrai, tu parles
faux; pur, tu rauques en conduite. Quand les
aiguilles de ta conduite sont droites, la sonnerie
de ta vie est absurde — et, d'ailleurs désagréable à tous et haïssable à ceux qui pourraient
t'aimer — ce qui est bien fait.

« Pas assez, car ce Paul qui se prénomme
comme toi, lui, du moins, attendait Virginie sous
ce palmier et l'attendra toujours sur cette
pendule.

« Toi, l'as-tu longtemps attendue? Oui, certes.
L'attendras-tu toujours? Oui, dis-tu. Moi, ta

conscience, je te dis : Allons donc! Six heures :
douze coups. Sept heures : un coup. Huit heures :
deux coups.

« Malheur! ou patience, c'est la même chose,
n'est-ce pas? dit la pendule. »

Peut-être songeait-il également à Lucien, en
écrivant ces lignes, mais le grain de poussière
sur lequel il eût été si simple de souffler, s'inter-
posait toujours entre ses actes et ses intentions
et empêchait le poète d'être d'accord avec sa
conscience.

— Allons donc! répondait celle-ci à toutes ses
protestations. Quand Lucien était là, il songeait
à Arthur. Auprès d'Arthur, c'était Mathilde qu'il
regrettait. Et plus tard, durant tous ses collages,
qui n'eussent point manqué de susciter la véhé-
mente indignation de Stéphanie, Paul revoyait
la vieille dame et en éprouvait des remords.

Il ne savait plus rien de Rimbaud depuis que
ce dernier s'était engagé dans l'armée hollandaise
à Java, comme pour avoir une raison valable de
déserter et de regagner Charleville où il avait
vécu aux crochets de sa mère jusqu'au mois
d'août précédent. L'idée que le jeune homme ne
commettrait jamais que des folies, accablait
Paul. Il avait beau reporter sur Lucien la tendresse dont Arthur s'était brutalement dégagé,
elle lui dictait encore ces vers :

Malheureux! Tous les dons, la gloire du baptême,
Ton enfance chrétienne, une mère qui t'aime,

La force et la santé comme le pain et l'eau,
Cet avenir enfin, décrit dans le tableau
De ce passé plus clair que le jeu des marées,
Tu pilles tout, tu perds en viles simagrées
Jusqu'aux derniers pouvoirs de ton esprit, hélas!
La malédiction de n'être jamais las,
Suit tes pas sur le monde où l'horizon t'attire,...

Enfin — car, entre temps, le poète s'était converti — il s'écriait :

> *Dieu des humbles, sauvez cet enfant de colère!*

Si Verlaine avait pu soupçonner qu'au moment
même où il pensait le plus à lui, Rimb commençait son étonnante carrière, il en eût éprouvé une
affreuse jalousie. On ne conserve aucun doute
sur ce point si l'on se reporte aux notes que, dix
années plus tard, en relisant *Sagessse,* il grif-
fonna en marge d'un exemplaire : car, si Lucien
consolait Paul d'Arthur, il ne le remplaçait pas
absolument. Le caractère inquiet de Verlaine lui
faisait, certains jours, déplorer de n'avoir plus
la force de mener cette vie orageuse dont il avait
pourtant si atrocement souffert. Heureusement
Lucien ignorait tout. Il s'étonnait bien, quelquefois, que Paul le menât, chaque soir, à travers
les mêmes rues de Londres, dans le quartier des
docks, de London Bridge, mais il se gardait de
l'allusion la plus innocente. On sentait, néanmoins, que Paul, en s'arrêtant d'un air pensif
devant un de ces *public houses* aux vitres voilées

de rideaux blancs, essayait de voir clair en lui
et passait par toutes sortes de transes. La façon
dont il regardait ensuite son compagnon laissait
comprendre qu'il hésitait entre le désir de l'entraîner — malgré son âge — à l'intérieur de ces
lieux mystérieux et la crainte de céder à la ten-
tation. Maintes nuits, Lucien avait la certitude
que le poète était retourné, seul, à Howland
Street : il aurait même pu désigner la maison qui
attirait ainsi Verlaine dans cette rue. Une maison
banale, en dépit de son style, et dont la carcasse
ruisselait d'eau. Paul s'attardait toujours devant
ses hautes fenêtres à ornements, son porche
sombre, sa façade lézardée et son vieil escalier
s'affaissant vers une muraille que les clefs et
les pots à bière des locataires avaient couverte
d'éraflures. Il émanait de cette bâtisse une impression d'ennui, de torpeur, de misère qui finissait par agir sur Lucien, par le hanter.

— Ne restons pas ici. C'est trop horrible ! s'était
un jour exclamé Paul.

Une épaisse brume roussâtre parmi laquelle
les gens paraissaient avancer à tâtons et les *cabs*
se mouvoir lentement, traînés par d'invisibles
bêtes fantastiques, enveloppait le quartier. Il
n'était guère pourtant plus de deux heures de
l'après-midi. Paul avait pris la main de Lucien
et s'était senti sur le point de tout lui avouer,
mais l'émoi du jeune homme l'avait soudain
gagné et Verlaine, refoulant les mots qu'il allait
prononcer, s'était borné à presser farouchement

contre lui l'innocent comme pour le protéger
contre une présence flottant dans l'air, et qui
eût pu les désunir.

Un lent réveil après bien des métamorphoses,

l'oppressait. Est-ce que, sous de fallacieuses
apparences, tout n'allait pas recommencer? Les
lanternes des voitures et les lumières des bars,
les feux jaunes des réverbères l'entouraient de
halos, de fantômes. Sous ses semelles, les trottoirs englués de boue se dérobaient.

— O mon enfant, mon pauvre enfant! gémit
le poète.

Un lugubre pressentiment l'avait frôlé. Paul
n'aurait su définir en quoi il consistait. Et, pourtant, il était certain que, sans le brouillard particulièrement dense ce jour-là, quelque chose
d'effrayant, qu'il ne pouvait nommer, se fût précipité d'un bond vers eux afin de leur barrer la
route.

Mais, dans l'horreur du bois natal,
Voici le Lévrier fatal,
La Mort. — Ah! la bête et la brute! —

Il était sûr que c'était elle, qu'elle les avait
flairés, car Lucien s'était écrié, d'une voix
blanche :

— Allons-nous-en!

Pourquoi donc avoir conduit l'adolescent dans
cette rue pleine des souvenirs de l'*Autre?*

Pourquoi toujours tout compliquer et tout cor-
rompre? L'Autre se vengeait.

Et, cette fois, Paul savait qu'il était doublement
coupable.

(*Que*) *la vieille folie était encore en route.*

Howland Street la lui rappelait avec une telle
puissance de suggestion qu'il n'avait plus à se
le dissimuler.

*
**

On a tout dit de Létinois. Peu importe qu'il
ait été un fourbe ou un benêt, c'est à lui qu'à
la suite de ses échecs auprès d'Arthur et de
Mathilde, Verlaine doit de s'être ressaisi. Il ne
buvait presque plus. Ses fonctions de « maître
de français » chez l'honnête Mr. Murloch, à
Lymington, lui imposait une respectable so-
briété. D'autre part, le séjour du poète à la prison
de Mons est certainement l'événement dont il
a tiré les meilleurs avantages. Paul, en effet,
avait fini par se désintoxiquer de l'alcool : bien
mieux, il s'était converti.

Avez-vous jamais observé que son mariage
bizarre, sa toquade pour Rimbaud, ses deux em-
prisonnements, sa liaison avec Lucien, ses amours
crapuleuses, en un mot, les malheurs survenus
à Verlaine, se sont présentés dans des conditions

vraiment exceptionnelles? Rien ne semblait
devoir lui arriver normalement. Cela tient-il à
sa nature, à l'influence de la planète dont il se
réclamait? Je l'ignore. Il n'en demeure pas moins
certain qu'en épousant Mathilde puis en suivant
Arthur, le poète cédait à une impulsion qu'il était
impuissant à combattre. D'habitude, on ne se
décide pas si vite à engager l'avenir, mais, là
encore, il faut admettre qu'en raison des forces
obscures dont il était le jouet, Verlaine ne pouvait
se comporter différemment. Et puisque nous
voici au chapitre de sa conversion, notons —
avant d'en étudier les causes déterminantes —
qu'il n'est point nécessaire, pour revenir à Dieu,
d'être enfermé à double tour de clefs — et de
quelles clefs, Seigneur! — dans une cellule. Aussi
bien que Verlaine, d'autres ont recouvré la foi
de leur enfance. La grâce les a touchés sans
besoin de tout cet appareil d'isolement, de répres-
sion. Huit fois sur dix, d'ailleurs, les meilleures
conversions — j'entends les plus durables —
s'accomplissent dans le silence des âmes et la
libre disposition de soi. Les cœurs les plus farou-
ches fondent alors d'eux-mêmes : moins ils se
sentent contraints d'abjurer leur passé, plus les
engagements qu'ils prennent ont, par la suite,
chance d'être tenus.

L'auteur de ce livre — dit Verlaine dans la
préface de la première édition de *Sagesse* —
*n'a pas toujours pensé comme aujourd'hui. Il a
longtemps erré dans la corruption contemporaine,*

*y prenant sa part de faute et d'ignorance. **Des** chagrins très mérités l'ont depuis averti...*

Sais-je pourquoi? Ces paroles sonnent mal à l'oreille. Je ne doute pas — bien sûr — de l'absolue sincérité du poète; mais je trouve contestable cette façon d'attirer l'attention du lecteur sur un cas de conscience qui ne le concerne en rien. Une certaine anecdote mérite d'être ici rapportée :

« Verlaine, affirme Pierre-Etienne Vibert qui l'a beaucoup connu, était un curieux homme, d'aspect bourru et mystérieux. Grand et les épaules fortes, le col de son pardessus gris-vert remonté inégalement sur son inséparable cachenez à carreaux jadis blancs et noirs, il regardait rarement en face. J'ai attendu longtemps pour connaître la couleur gris-myosotis de ses yeux farouchement enfantins et suis encore étonné de cette délicatesse inattendue dans ce visage sans grâce aux sourcils obliques et raides, au nez court, aux pommettes larges et plates.

« Mélange de naïveté et d'astuce gamine. Un soir, à deux heures d'intervalle, je l'ai vu sortir d'une poche de son pantalon un porte-monnaie empli de « quelques argents » et payer sa consommation étant seul à sa table puis, entouré de quelques fidèles, sortir de son gilet un autre porte-monnaie qu'il éplucha, effeuilla plutôt avec une attention concentrée et fervente jusqu'à ce que le contenu, un ou deux sous, soit manifeste aux yeux de tous. »

Le coup des deux porte-monnaie, Pauvre Lélian nous l'a « fait » toute la vie. On en trouve même la preuve dans cette préface de *Sagesse* où, par calcul autant que par habitude, le poète étale « aux yeux de tous » sa parfaite ignominie. Les « chagrins très mérités » à quoi il risque une allusion ne sont cependant pas de l'ordre que nous serions en droit d'attendre.

Un matin de mai 1874, le directeur de la prison ordonnait qu'on lui ouvrît la porte de la pistole 112 occupée par Verlaine.

— Mon pauvre ami, dit-il au détenu, je vous apporte un mauvais message. Du courage! Lisez.

« Cétait une feuille de papier timbré, nous apprend Verlaine, la copie du jugement en séparation de corps et de biens, si mérité quand même (de corps et peut-être aussi de biens), mais dur dans l'espèce, que me décernait le tribunal civil de la Seine. Je tombai en larmes sur mon pauvre dos, sur mon pauvre lit... »

Il y avait dix mois que Paul se trouvait en prison et il y était arrivé à un tel état de prostration que ce jugement acheva de l'abattre. N'oublions pas qu'au début de l'action intentée par Mathilde contre son mari, celui-ci ne pouvait déjà s'habituer à l'idée du divorce. Paul s'était même brouillé avec Rimbaud à la pensée que leur liaison était susceptible de fournir à l'épouse

trahie un argument quelconque en sa faveur.
Quittant Londres où il laissait Arthur sans un
centime, il avait informé Mathilde qu'il s'était
rendu libre et qu'il ne tenait plus qu'à elle de
reprendre la vie d'autrefois. Si, comme Paul l'en
priait, Mathilde était accourue à Bruxelles, il
n'aurait point tiré deux balles de revolver sur
Arthur et ne se serait point, en conséquence,
trouvé emprisonné à Mons. D'autre part, en raison de cette condamnation, ses torts ne devaient
plus, ne pouvaient plus compter. Est-ce que cela
ne suffisait pas?

Comme la plupart des prisonniers, Paul s'in-
dignait qu'aux rigueurs de la loi s'ajoutassent
des sévérités d'ordre moral et, sans l'avouer à
personne, il avait placé son espoir dans l'indul-
gence de la « princesse Souris ». Or, voilà que
cette femme « horrible » profitait du scandale
provoqué par l'arrêt de la cour de Bruxelles pour
obtenir du tribunal civil de la Seine ce monstrueux jugement! Quoi, *Cette épouse sans pudeur*, c'était donc ça, Mathilde? « O l'immonde
aventure! » Il ne devait plus l'oublier.

> *Mais, avant que d'entamer*
> *Ce livre où mon fiel s'amuse,*
> *Je récuse comme Muse*
> *Celle qui ne sut m'aimer,*
> *Celle à qui mon nom sut plaire,*
> *Quand j'avais un sou vaillant,...*

On peut juger, par le ton du morceau, du dé-

sespoir qui terrassa Verlaine à la nouvelle com-
muniquée par l'administration. Sa solitude lui
apparut soudain dans sa morne étendue. On le
chassait, on l'évinçait de partout. Il ne possédait
plus de foyer, plus de femme, plus d'enfant. Ses
amis ne venaient pas le voir! Ils reculaient devant
les frais de déplacement ou plutôt n'obéissaient
qu'à leur sordide égoïsme.

Paul ignorait les démarches tentées par
Lepelletier au cours d'un voyage en Belgique.
Quant à sa mère (mais le prisonnier savait qu'elle
lui restait fidèle), il ne pensait à elle qu'inci-
demment. C'était dans l'ordre qu'il pût compter
sur Stéphanie. Il avait assez de malheur sans
qu'on y ajoutât. Ce qui l'accablait, le révoltait,
c'est que Mathilde eût profité de sa condamnation pour le diminuer encore aux yeux des juges
de son pays. Ceux de Bruxelles ne savaient pas
à quel poète ils avaient affaire et — sans leur pardonner cette ignorance — il ne leur en voulait
pas outre mesure; mais qu'à Paris, sur la foi
de divers témoignages habilement exploités par
Mathilde et surtout par son père, des magistrats
eussent déclaré Paul indigne de reprendre place
parmi les siens, pareille injustice l'humiliait au
delà de toute expression. Quel accueil allait-on
lui réserver, à sa sortie? Parents, amis, confrères,
chacun se détournerait de lui ou feindrait de ne
pas le connaître. On le fuirait. Son nom serait
honni. Et qui sait même si, rendu à la liberté,
l'infortuné n'en arriverait pas un jour à se trouver

plus seul dehors qu'à l'intérieur de cette pistole
où il tournait sur place — parfois durant des
heures — comme un ours au fond de sa fosse!

*
* *

« Possible que ce qu'on a nommé la conversion
de Verlaine — fait alors justement observer
François Porché — ait été moins spontané qu'il
ne l'a cru lui-même, quelque peu fomenté,
cuisiné, à son insu, par de pieux complices.

« Le poète avait été recommandé tout particulièrement à l'aumônier de la prison de Namur,
lequel n'était autre que l'ancien curé de Paliseul,
familier des Grandjean et des Evrard, l'abbé
Jean-Baptiste Delogne. Cet abbé avait un frère,
Xavier, prêtre lui-même, lui-même ancien curé
de Paliseul, devenu vicaire général du diocèse
de Namur. Un troisième prêtre que Verlaine
avait connu à Paliseul, chez sa tante Louise
Grandjean, était le chanoine Lambin, professeur
au séminaire de Namur et doyen du chapitre de
la cathédrale.

« Demeurée en relations avec tous ces messieurs, la dévote tante Julie Evrard, après l'incarcération du poète, comme bien on pense, ne
demeura pas inactive. Dès lors, on voit la bonne
conspiration se former dont l'aumônier de la
prison de Mons n'est que l'agent d'exécution,
installé dans la place... »

Tout se trouvait donc en règle et l'on attendait

l'occasion de ramener Paul dans le droit chemin.
Lui-même ne le nie pas.

« Dans la situation d'esprit où je me trouvais,
avoue-t-il, l'ennui profond où je plongeais en
dépit de tous les bons égards et de la vie rela-
tivement heureuse que ces bons égards me faisaient, et le désespoir de n'être pas libre et
comme aussi la honte de me trouver là, déter-
minèrent, un certain petit matin, après quelle nuit
douce-amère passée à méditer sur la Présence
Réelle, tout cela, dis-je, détermina en moi une
extraordinaire révolution... »

Cette franchise est à l'honneur de Verlaine.
Cependant, si Mathilde n'avait pas obtenu le
divorce, il n'est point défendu de penser que
cette « extraordinaire révolution » ne se serait
peut-être pas produite. Nous y aurions perdu les
plus beaux vers mystiques de notre langue et,
par la suite, quelques-uns de ces troubles chefs-
d'œuvre que, « parallèlement » à sa pieuse existence, Verlaine éprouvait une perverse délecta-
tion à composer. En revanche, nous éprouverions,
sans ce divorce, moins de scrupules à traiter le
poète selon sa nature véritable, avec toutes les
faiblesses et toutes les tares qu'elle présente,
et dont nous ne saurions honnêtement le priver,
même en voyant en lui un croyant pratiquant et
sincère. Est-ce notre faute, néanmoins, si, malgré
sa foi religieuse, Verlaine offre à nos yeux un
des types les plus étonnants de complexité
morale ?

Homo multiplex. Ainsi pourrait-on le désigner,
car l'épithète *duplex* paraît insuffisante pour
s'appliquer à lui. Jamais homme ne fut doué
de cette puissance de mimétisme qui constitue,
à notre avis, la faculté la plus nécessaire au poète
de génie et qui transforme, en les enrichissant,
les réactions naturelles de sa force créatrice. On
n'exprime bien que ce qu'on ressent violemment.
Encore convient-il de s'assimiler les choses, d'en
devenir pour ainsi dire partie intégrante, quitte
à perdre jusqu'au souvenir de sa personnalité.
Sur ce plan, certains hommes se rapprochent des
femmes, quand ils n'arrivent point à devenir plus
femmes qu'elles.

Or Verlaine excellait en de telles substitutions,
se rangeant tour à tour à la suite de Sapho et de
Corydon, de Cupidon et de Bacchus. Peu soucieux de la logique, il chante les morts de la
Commune et s'attendrit à la pensée de l'Enfant
du Temple. Sa passion pour Rimbaud l'entraîne
dans un tourbillon scandaleux de vertige ; mais,
au moindre désavantage que peut lui attirer cette
liaison, il la renie :

Qu'on l'entende comme on voudra, ce n'est pas ça.
Vous ne comprenez rien aux choses, bonnes gens.
Je vous dis que ce n'est pas ce que l'on pensa...

proteste-t-il avec un rien de supériorité réellement déplacé de sa part. Quant à Mathilde, il
l'insulte et prétend qu' :

> *...elle devint la pire pécore*
> *Et certain beau soir quitta la maison*
> *En emportant tout l'argent du ménage...*

ce qui est mensonger, mais il ne cesse de l'aimer,
de penser à elle :

> *Vous êtes si jeune, ô ma froide sœur...*

Au besoin, il s'accuse d'avoir empoisonné la
vie de la jeune femme :

> *Ce fut un brutal, ce fut un ivrogne des rues,*
> *Ce fut un mari comme on en rencontre aux barrières...*

Comment comprendre quelque chose à de
telles palinodies? Ses amis le connaissaient trop
pour le juger. Sa force de dissimulation les stu-
péfia plus d'une fois. Aussi, quand Lepelletier
se demande, à propos de sa conversion : « Fut-
elle profonde et véridique? », gardons-nous de
répondre avec lui : « je ne crois pas. » Lepelletier se trompe. Ni vrai ni faux... Voilà Verlaine.
Tout dépend de la minute qui passe. Au demeurant, quoi qu'on en ait dit, il possédait un fonds
de religion que ses malheurs devaient fatalement
mettre à nu, comme ces tableaux que l'on décape
à l'aide d'acides et qui finissent par laisser apparaître la peinture primitive. D'ailleurs, peut-
on supposer que Verlaine, en écrivant *Sagesse*,
n'ait pas été sincère? Il l'était plus qu'un autre,
du moins à cet instant.

En France, dans les « Centrales » où le pasteur
et l'aumônier font miroiter la promesse de cer-

tains avantages matériels aux yeux des détenus
qui optent pour l'une ou pour l'autre de ces deux
religions dont ils sont les agents recruteurs,
mainte considération d'ordre purement utilitaire
influe souvent pour une large part sur le choix
des intéressés. Ici, les catholiques l'emportent
et, là, les protestants. Pourtant, nul n'a le droit
de se convertir deux fois en cours de peine.
Affaire d'intuition, de chance. Selon que l'aumônier sait mieux que le pasteur agir auprès de
l'administration, le nombre de ses ouailles s'ac-
croît.

Je veux bien, pour Verlaine, qu'un calcul de
ce genre ne soit pas intervenu, mais nous ne
savons rien de précis à cet égard. La vie des
prisonniers est faite de tentations si misérables
que nous hésitons à nous prononcer. Admettons
que, seule, une solide croyance ait sauvé le poète
de l'abrutissement qui le menaçait, il n'en est
pas moins établi qu'on se tenait prêt, dans la
coulisse, à profiter de l'occasion. Verlaine, ne
sachant plus où s'adresser, réclame l'aumônier :
il se confesse, il se libère de son passé puis, vul-
nérable par sa faiblesse même, sensible comme
il l'était aux moindres rebuffades, il change du
tout au tout et n'aspire qu'à se présenter à la
Sainte Table, les mains jointes, la tête inclinée.

Mon Dieu m'a dit : « Mon fils, il faut m'aimer. Tu vois
Mon flanc percé, mon cœur qui rayonne et qui saigne,
Et mes pieds offensés que Madeleine baigne
De larmes, et mes bras, douloureux sous le poids

De tes péchés, et mes mains! Et tu vois la croix,
Tu vois les clous, le fiel, l'éponge,... »

Dire que toute cette inoubliable suite de sonnets n'a pas d'autre cause que le procès intenté et gagné par Mathilde! Etrange répercussion d'un simple fait sur les destinées du poète! On songe à la phrase de Pascal, aux conséquences que la longueur du nez de Cléopâtre eût pu entraîner dans le monde romain. Aussi n'accusons pas Verlaine de s'être transformé à bon compte. Reprochons-lui plutôt d'avoir usé de cette transformation pour en revenir à ses anciennes visées. Si Paul s'est converti, s'il a cherché dans la foi religieuse le pardon et l'oubli de ses hontes, c'est que, désespérant en sa grande solitude à jamais d'être fort, il est allé à Celui dont la Toute-Puissance aurait dû normalement rejaillir sur sa créature et lui communiquer un peu de cette faculté d'irradiation à quoi le malheureux aspira toute sa vie.

Et Dieu répond à chaque élan de mysticisme :

Il faut m'aimer! Je suis l'universel Baiser,...

Aime-moi! Ces deux mots sont mes verbes suprêmes,

Tandis que Verlaine se pâme et balbutie :

Seigneur, c'est trop! Vraiment je n'ose...

CHAPITRE XIII

Au nombre des griefs retenus par Mathilde, la liaison de Paul avec Rimbaud occupe la première place. Depuis un an, déclare la demanderesse, en octobre 1872, dans sa requête au président du tribunal, « la connaissance d'un sieur Arthur Rimbaud, jeune homme de dix-huit ans, avait exercé sur Verlaine la plus fâcheuse influence et les faits de la plus monstrueuse immoralité » — je cite le texte — avaient été révélés à l'épouse ingénue, « qui — elle en convient sans fausse honte — n'avait pas complètement compris » la nature des relations qui unissaient les deux hommes.

J'ai tenu dans les mains le dossier du divorce.

« Une première fois au mois de février 1872 — y est-il mentionné — Mme Verlaine, pour échapper aux violences de son mari, avait commencé contre lui une demande en séparation de corps... » Toutefois, « sur les promesses de ce dernier, elle avait consenti à ne pas la suivre... »

Or, « elle avait été bientôt, non seulement en butte à de nouvelles brutalités, mais encore, après avoir tout tenté pour arracher son mari à la funeste domination de Rimbaud, elle avait eu à subir — elle insiste — la révélation de faits d'immoralité des plus monstrueux... » L'allusion n'est que trop claire à plusieurs lettres d'Arthur (« tellement étranges !... ») que Mathilde découvrit dans les papiers de Paul et qu'elle crut « écrites par un fou » au point d'en être — comme elle l'avoue — « effrayée de voir Verlaine parti avec un pareil compagnon... »

« J'avais exigé le renvoi de Rimbaud — précise Mathilde — et Verlaine, forcé de céder par la crainte d'une séparation, m'écrivit que son ami avait quitté Paris et ne reviendrait plus ; mais, en même temps, il écrivait à celui-ci de patien- ter... que c'était à regret qu'il l'avait éloigné et qu'aussitôt mon retour il le ferait revenir... »

Que contenait cette correspondance ? Nul vraisemblablement ne le saura jamais, car l'épouse outragée la détruisit. Toutefois, la cynique riposte de Rimbaud à Verlaine : « Lorsque vous me verrez manger positivement de la m... » date de cette période et l'on conçoit qu'après de pareilles découvertes « la vie com- mune était désormais impossible » et que Mathilde « se trouvait dans la triste nécessité de demander à nouveau la séparation ».

« Au mois de septembre 1871 — relate la pièce officielle — les époux vinrent demeurer chez les parents de la jeune femme : la demanderesse espérait que leur présence forcerait son mari à apporter quelque retenue dans sa conduite et quelques ménagements à son égard et qu'elle pourrait faire ses couches dans de meilleures conditions car, dès cette époque, Verlaine se livrait à la boisson de l'absinthe et était lié avec Rimbaud... »

Nous avons trop insisté sur les torts du poète pour les énumérer une nouvelle fois. Toujours est-il que, « le 15 novembre 1871, à peine quinze jours après l'accouchement de sa femme », Paul — ayant assisté à la première représentation de L'*Abandonnée*, de Coppée — était resté à souper avec ses amis et avait passé une partie de la nuit à boire. Quand il rentra, il était dans un état de surexcitation indicible ».

— Mais, nom de Dieu! aurait-il hurlé à la vue de Mathilde. La voilà, L'*Abandonnée!* Le succès de Coppée me dégoûte. Heureusement, ma femme et mon enfant m'appartiennent. Je vais les tuer!

« Déjà — note François Porché — des bruits couraient sur l'intimité suspecte de Verlaine et de Rimbaud. Dans *Le peuple souverain* (16 novembre 1871), sous la signature de Gaston Valentin, pseudonyme d'Edmond Lepelletier, nous lisons : « A la première représentation du *Bois*, idylle en un acte et en vers d'Albert Glatigny, tout le Parnasse était au complet, circulant et devisant, au foyer... Le poète *saturnal*, Paul

Verlaine, donnait le bras à une charmante personne : Mlle Rimbaud. »

Il ne s'agissait encore que de bruits. Néanmoins, ce soir-là, Paul s'était affiché au théâtre
en compagnie d'Arthur qu'il tenait étroitement
par le cou. Ni l'un ni l'autre ne s'étaient couchés
la nuit précédente et leurs souliers boueux, leurs
vêtements fripés autant que l'expression de leurs
visages hébétés par l'alcool avaient scandalisé
les spectateurs. Rimbaud n'était pas sympa-
thique. On ne voyait en lui qu'un terrible petit
voyou, coupable de débaucher Verlaine pour
l'odieuse satisfaction d'attirer l'attention sur sa
propre personne. Ses vers étaient connus des
intimes de Paul, mais la façon dont celui-ci se
comportait envers le jeune prodige faisait négli-
ger les motifs qu'il pouvait avoir de l'admirer.
On augurait de l'ivrognerie du couple les pires
conséquences. Quant à Mathilde, on la plaignait
d'être l'épouse d'un être si veule, presque in-
conscient et, bien qu'elle sortît peu, depuis ses
couches, on lui reprochait de ne point s'opposer,
avec plus d'énergie, à l'influence qu'Arthur
prenait de jour en jour sur son mari.

Celui-ci, nous l'avons dit, consacrait presque
tout son temps à boire et ne rentrait au domicile
conjugal « dans un état voisin de l'abrutissement » que pour chercher noise à sa femme. Le
13 janvier 1872, à la suite d'une scène, survenue
à propos d'une tasse de café qu'il jugeait insuf-
fisamment chaude, Verlaine — retient la de-

mande en séparation — déclara qu'il allait au
café en prendre une autre. Comme Mme Verlaine
ne répondait pas :« Ton calme, s'écria-t-il, ton
sang-froid m'exaspèrent. Je veux en finir! »
Passant alors au paroxysme de la furie, « il saisit
son enfant et le jeta violemment sur le lit au
risque de le tuer », puis, agrippant sa femme
« par les poignets qu'il déchira avec ses ongles,
il se précipita sur elle et lui serra le cou pour
l'étouffer ».

Dans de telles conditions, mieux valait que le
poète cessât de loger rue Nicolet. Il en convint
de lui-même et se réfugia près de sa mère « sans
cependant toujours y habiter », signale la demanderesse, ni cesser « de proférer des menaces de
mort contre sa femme » et contre ses beaux-
parents. C'est alors que Mathilde « alla passer
quelque temps dans le Midi avec son père pour
se remettre de ses vives émotions ». Au retour,
Paul l'ayant suppliée de renoncer au divorce,
elle « consentit à rentrer avec lui et à ne pas
donner suite à sa demande, mais les scènes vio-
lentes recommencèrent immédiatement ».

Gardons-nous, en bonne justice, de reprocher
à Mathilde de manquer, elle aussi, de caractère.
Nous serions par trop loin de la vérité : la jeune
femme ne désirait point rompre avec son mari.
Cependant « le *delirium tremens* était devenu
tel ...» (c'est l'expression qu'emploie la malheureuse au cours de ses doléances), qu'elle eût plus
sagement agi en entretenant Paul de soins qu'en

lui adressant du papier timbré. « Vous êtes un
lâche, lui cria-t-elle, un soir que l'alcoolique
la frappait sans motif. Vous feriez mieux de me
tuer ! » Aussitôt le poète « prit une allumette,
l'alluma et l'approcha des cheveux de sa femme
pour y mettre le feu. Le lendemain, tout le monde
pouvait encore voir les traces de violences de
Verlaine... Mathilde avait la lèvre fendue et une
bosse au front... » Enfin, nous arrivons au
7 juillet. « Verlaine ne rentre pas chez lui où
il avait laissé sa femme malade attendant le
médecin... Après trois jours de recherches dans
Paris, chez tous les amis de son mari et même
à la Morgue, la demanderesse apprit qu'il était
parti ce jour-là, à deux heures, pour Bruxelles,
avec Rimbaud. »

Toute l'origine du drame tient en ces quelques
lignes : « Verlaine, expliqua par la suite Mathilde
dans ses *Mémoires*, parut attristé de me voir
souffrante et me dit qu'en se rendant au bureau,
il passerait chez le docteur Antoine Cros et me
l'enverrait. Nous n'avions eu la veille aucune
querelle ; mon mari m'embrassa affectueusement.
Il ne devait plus revenir ! »

C'était le calme avant l'ouragan, la torpeur
qui précède l'orage.

« Saturne, dit un grimoire ancien, est *un* planète humide, mélancolique et tout à fait
terrestre... le plus haut de tous les planètes et
le plus éloigné du centre de la terre : il est tardif en son mouvement, grave, triste et noir : il

Planche XIII

VERLAINE
Photographié à Londres.

VERLAINE SOMNOLENT AU CAFÉ
par Cazals (1894).

est appelé le *vieillard* et l'*infortuné* par les astrologues. »

Cette phrase que je détache d'un ouvrage de sorcellerie, offre quelque chose de prophétique. En effet, Verlaine ne s'est point décidé d'un coup à suivre Rimbaud : il a été « tardif » dans l'exécution du sort dont il se sentait la victime. Et combien grave, triste et noir ! Il suffit d'évoquer son désespoir à Londres quand il songeait à son foyer détruit. Ce ne sont pas seulement les astrologues qui le nomment le « vieux ». Arthur n'a pas pour lui plus d'égards. Infortuné Verlaine ! Son départ dans l'apparente sérénité d'une matinée paisible, au moment de gagner son bureau, semble marqué d'une sorte de signe redoutable. Le volume où j'ai puisé le portrait de Saturne me fournit une nouvelle citation. Sais-je pourquoi, elle aussi me fait penser au fatidique et mystérieux message qui dut parvenir le jour même au poète.

« Un appel bizarre, poursuit l'initié, a retenti, une voix qui n'est pas une voix, un son qui n'est pas un son, un souffle qui n'est pas un souffle. Et d'étranges ombres passent, des loques, des figures, des monstres... », tous les fantasmes qui allaient assaillir et hanter l'imagination assombrie de l'exilé, peupler de sinistres présences son univers. Paul ignorait à quelles forces il obéissait.

— Je fais un mauvais rêve ! eut-il pourtant, à la dernière minute, la lucidité de confier à sa femme.

« Il ne disait pas pourquoi il était parti, ajoute Mathilde, ni quand il reviendrait. Sa lettre était à la fois affectueuse et incohérente. » Par la suite : « Ecris-moi toujours en deux parties séparées — aurait-il recommandé à Stéphanie, sa mère — l'une montrable à Rimbaud, l'autre relative à mon pauvre ménage. »

Cette prise de possession relève du sortilège. A mon avis, c'est sous cet angle qu'il convient d'envisager l'attraction exercée par Arthur sur le « vieux ». Elle rend plus naturelle la soumission de Paul aux caprices de l'Epoux infernal. Celui-ci prétendait, en effet, qu'il arriverait un jour à tout changer autour de lui. Sa théorie — on se le rappelle sans doute — s'inspirait d'un « long dérèglement de tous les sens » pour laisser au pouvoir magique dont il se déclarait détenteur, un champ d'action plus vaste, plus absolu. « Toutes les formes d'amour, de souffrance, de folie » lui sont bonnes. « Il cherche en lui-même, il épuise en lui tous les poisons pour n'en garder que les quintessences. Effroyable torture où il a besoin de toute sa foi, de toute sa force surhumaine, où il devient entre tous le grand malade, le grand maudit et le suprême savant... » revendique pour son bien le *Voyant*, sans se faire illusion sur les suites de pareils excès.

Rimbaud n'était point l'homme des demi-mesures, des conciliations. Il émanait de sa personne, autant que de son esprit, un magnétisme dont son œuvre conserve pour ceux à qui elle est

familière, une prodigieuse puissance d'envoûtement. Peut-être existait-il, au fond de tout cela,
une part secrète d'enfantillage. Rimb n'avait
guère que dix-sept ans lorsqu'il s'installa chez
Verlaine. Il débarquait de sa province, confiant
— mais sans outrecuidance — dans une force de
séduction qu'il n'avait encore exercée qu'aux
dépens de son jeune maître Izambard et de quelques condisciples, qu'il estimait d'ailleurs fort
au-dessous de lui. Il avait fait scandale à Charleville et se devait, tout au moins à ses yeux, de
stupéfier les Parisiens. En l'accueillant, rue
Nicolet, Verlaine facilitait sa tâche. La présence
sous son toit de cet enfant troublait le poète et
bientôt les extravagances auxquelles celui-ci se
livra pour ne point s'estimer inférieur à sa mauvaise réputation, achevèrent de le conquérir.
L'un poussant l'autre à s'enivrer, à se targuer
des pires aberrations, on pouvait aisément prévoir
que le couple effarant en viendrait quelque jour
à rompre avec les conventions bourgeoises afin
de s'évader d'un monde dont ils étaient tous
deux — et Rimbaud peut-être plus que Verlaine
— les fils dénaturés.

En se posant toutefois, comme il le fit dès
l'enfance, en révolté, Arthur mérite plus que
Paul le bénéfice des circonstances atténuantes.
L'image qu'il se formait du poète, le rôle dont
il le croyait investi, la crise de puberté qu'il tra-
versait diminuent singulièrement sa responsabilité. Et puis Rimb découvrait Paris. Soutenu par

Verlaine, il tirait — sans le dire — vanité de l'amitié d'un homme connu — sinon célèbre dans un cénacle — d'un auteur imprimé. Les *Poèmes saturniens*, les *Fêtes galantes*, *La bonne chanson*... autant de titres, autant de raisons pour un jeune provincial à reculer les bornes de l'impudence. Sa nature l'y portait. Allait-il, devait-il la brider lorsque Verlaine s'émerveillait qu'elle se manifestât avec une telle audace, une si constante originalité? Rimb tout de bon pensait *changer la vie*. Le « vieux » n'était, selon lui, qu'un passant de rencontre. Après Verlaine, « il faut que j'en aide d'autres, déclare-t-il dans *Une saison en enfer*. C'est mon devoir quoique ce ne soit guère ragoûtant, chère âme! »

Or, en dépit de tant d'aventures, de malheurs, de bouleversements provoqués par sa seule présence, l'adolescent demeure intact. Rien n'arrive à le souiller; sa pureté — si l'on peut dire — provient, vraisemblablement, de cette flamme intérieure qui le brûle, ou de cette absence, fréquente chez certains êtres, de toute espèce de sensualité. « Pitoyable frère, écrit-il, que d'atroces veillées je lui dus!... Presque chaque nuit, aussitôt endormi, le pauvre frère se levait, la bouche pourrie, les yeux arrachés — tel qu'il se rêvait — et me tirait dans la salle en hurlant son songe de chagrin idiot. »

Verlaine n'était point fait pour cette existence stupéfiante. Rimb avait beau le rudoyer, le « Loyola » se raccrochait à tout ce qui pouvait

l'empêcher de tomber plus bas. Mais les scrupules le dévoraient. Comme il l'a dit, plus tard,
du fond de sa détresse :

> *Peut-être que c'était trop beau!*

⁎
⁎⁎

Hélas! Mathilde a gagné le procès. Et voici
Paul dans sa cellule. Le voici hors de prison.
Jusqu'à la fin, « la fureur d'aimer » qui le tour-
mente, le jette au-devant des pires désillusions.
Lucien succède à Rimbaud. Et Lucien meurt.
Stéphanie à son tour disparaît. Dès lors, Paul est
perdu.

C'est un homme vieilli avant l'âge. Sa peur de
la misère l'oblige à vaincre l'appréhension bourgeoise qu'il a de l'hôpital. Eugénie Krantz et
Philomène se le partagent ; il va de l'une à l'autre,
clamant avec dégoût :

> *Tu bois, c'est hideux! presque autant que moi.*
> *Je bois, c'est honteux! presque plus que toi,...*

Celle qu'il préfère de ces deux terribles drôlesses l'exploite ; il la fuit pour devenir l'esclave
de sa rivale. Et quelles cuites! quelles muffées!

> *Enfin, c'est toi!*

confesse-t-il à « l'âme sœur » :

Laisse-moi rester dans tes bras,
Puis tu m'objurgueras tant que tu le voudras.
Mais laisse-moi pleurer dans ton giron, que sais-je?
Sur tes pieds, vers tes yeux où mon remords s'allège,
Mon remords véritable ou ma honte, plutôt...

Tous ceux qui ont connu Verlaine, à cette époque, affirment qu'en dépit de « ses femmes » il fréquentait des garçons bouchers ou épiciers dont les cache-nez écarlates, les grosses pattes gercées et les airs équivoques écœuraient ses voisins. Au « François Iᵉʳ », à la « Source », au « d'Harcourt », le poète ne répugnait nullement à se produire avec de tels éphèbes. Leur vulgarité l'excitait. Il pouvait ensuite pleurer sa vie gâchée, une chanson qu'il avait composée vers 1873 — comme s'il eût dû plus tard la reprendre à son compte — dénote son goût de la crapule et des plaisanteries qui lui conviennent :

Je m'suis marié le cinq ou l'six
D'Avril ou d'Mai d'l'année dergnière,
Je devins veuf le neuf ou l'dix
D'Juin ou d'Juillet, j'm'en souviens guère...
— Ah! mon bonhomm', me direz-vous,
Quel malheur! que j'te trouve à plaindre!...
— Il faut hurler avec les loups!
           J'vas geindre!

Bien que la pert' de ma moitié
Fut pour mon âme un coup bien rude,
Quéqu'temps après j'me suis r'marié,
Histoir' d'en pas perd' l'habitude...

> — *Ah! mon bonhomm', me direz-vous,*
> *C'te fois-ci, ton étoil' va r'luire...*
> — *Il faut hurler avec les loups!!*
> *J'vas rire!!*

> *Mais à part qu'elle est chauv' tandis*
> *Qu'l'autr' s'contentait d'un g'nou modeste,*
> *Joséphin' c'est, quand je vous l'dis,*
> *L'même caractèr' que feu Céleste...*
> — *Ah! mon bonhomm', me direz-vous,*
> *Pour le coup t'as d'la veine à r'vendre,*
> — *J'veux plus hurler avec les loups!*
> *J'vas m'pendre!*

Evidemment, il y a loin de ces couplets signés Herlanez aux délicieuses modulations de *Romances sans paroles*, mais le génie de Verlaine a toujours été tributaire d'une certaine inspiration qu'il devait à sa façon de ressentir avec intensité jusqu'aux événements les plus humbles, les plus « quotidiens » de la vie. L'influence de Rimbaud a sans doute, un instant, modifié, elle n'a pas changé la nature intime de Verlaine qui, dans sa profession de foi d'artiste et de poète, proclame allègrement :

L'art, mes enfants, c'est d'être absolument soi-même!

En effet, nul ne s'est plus raconté que lui. On le suit à la trace, en lisant ses vers : on partage ses joies et ses peines, ses enthousiasmes, ses déceptions. Pauvre Lelian nous dit tout; il n'a de secret pour personne, et son besoin d'exagérer

parfois les confidences, même s'il est provoqué
par l'abus de l'absinthe ou par la nostalgie de son
passé, prend aussitôt un tel accent de conviction
qu'on devient l'ami du poète et qu'on le reste
comme malgré lui.

Sa réponse, en 1891, à l'enquête de Jules Huret
sur le « Symbolisme » est, sous ce jour, significa-
tive.

Verlaine faisait figure de chef d'école ; il était
à la veille d'être sacré « Prince des Poètes », mais
cela ne l'empêchait point de demeurer l'homme
simple et sincère que chacun connaissait :

« Symbolisme ? affirma-t-il. Comprends pas.
Ça doit être un mot allemand, hein ? Qu'est-ce
que cela peut bien vouloir dire ? Moi, d'ailleurs,
je m'en fiche. Quand je souffre, quand je jouis
et quand je pleure, je sais bien que ça n'est pas
du symbole. »

Toute affectation mise à part — car on démêle
en cette réponse la naïve malice du poète et son
désir assez puéril d'épater l'interlocuteur — Verlaine avait raison. Il n'ignore pas néanmoins
l'importance que prendrait aux yeux de la « jeune
école » sa déclaration ; aussi crut-il devoir exagérer dans le sens susceptible de lui être profitable. Une autre fois, parlant des mêmes sym-
bolistes, il les appelle les « cymbalistes ». Cela
est un peu gros, un peu facile, mais traduit fidèlement la mentalité de Verlaine qui, victime des
scandales de toutes sortes dont il s'était fort
adroitement servi pour établir sa détestable répu-

tation, entendait ne dépendre d'aucun groupe.
« S'il a été malheureux — écrivit-il à son propre
sujet — s'il l'est encore et doive toujours l'être
et qu'on s'en aperçoive à des mutismes soudains,
à des sauvageries qui sont plutôt de la timidité, »
Pauvre Lélian possédait un fond de roublardise
dans lequel il puisa bien des fois plus d'un tour.
Malheureusement, ses abus de boisson l'empêchaient d'en tirer, comme il l'aurait souhaité,
parti.

Jules Renard qui, le 8 mars 1892, assistait à
la manifestation de *La Plume,* a rédigé, le soir
de ce banquet présidé par le « Maître », la note
suivante :

« L'effroyable Verlaine — un Socrate et un
Diogène sali ; du chien et de l'hyène — tout trem-
blant, se laisse tomber sur une chaise qu'on a
soin d'ajuster derrière lui. Oh ! ce rire du nez,
précis comme une trompe d'éléphant, des sourcils et du front... Il ressemble à un dieu ivrogne.
Sur une ruine d'habit — cravate jaune, pardessus
qui doit être en plus d'un endroit collé à la chair
— une tête de pierre de taille de démolition. »

Sa gloire, à cette époque, ne remontait guère
qu'à cinq ou six années. Divers articles de la
grande presse, signés de Jules Lemaitre, de
Tellier, d'Anatole France (l'article de ce dernier
parut dans *Le Temps* et révèle chez l'auteur un
singulier changement d'opinion) y avaient con-
tribué. Paul, se débattant alors au sein des pires
ennuis matériels, n'avait eu qu'une imparfaite

conscience du bruit qui se faisait autour de lui.
Pourtant, son éditeur, Léon Vanier, reprenait
chez Lemerre les *Fêtes galantes* et en imprimait
une nouvelle édition. Il procédait ensuite à un
second tirage de *Romances sans paroles. Amour*
paraissait en 1888; puis c'était, l'année suivante,
le tour de *Parallèlement.* L'accent d'une semblable poésie tranchait par sa ferveur, sa liberté
de rythme et d'expression sur celle qu'entrete-
naient ou cherchaient à répandre les salons litté-
raires, les cénacles, les petites revues.

Une légende s'avérait tendant à montrer Verlaine comme une victime, un déclassé dont le
génie n'était point discutable. Certaines pièces
de *Parallèlement* ravissaient les plus difficiles
qui s'étonnaient que le même homme eût pu produire, en marge de *Sagesse,* des vers empreints
d'une si voluptueuse sensualité. Alors que l'admirable suite mystique parue en 1881 était demeurée
inaperçue, *Parallèlement* obtenait, huit ans plus
tard, un succès qui passait toutes les prévisions.
Et, bien plus, dans *Amour,* les vingt-cinq poèmes
consacrés à Lucien Létinois rendaient un son si
sourd et si troublant, qu'on semblait découvrir
aux amours du poète des raisons de le plaindre,
de l'excuser. On comparait ces strophes à celles
de la mort de Rimbaud : on en tirait des conclu-
sions que les *Amies* placées au début du volume
et la *Ballade Sapho* compliquaient étrangement.

Le premier vers de cette ballade :

Ma douce main de maîtresse et d'amant,

offrait aux amateurs de scandale une occasion de ne plus mettre en doute les aberrations de l'auteur et ce fut en définitive à elles qu'il dut sa naissante renommée.

⁎⁎

Combien, pour ma part, je préfère au cynisme de cette attitude chez un si grand artiste, la discrétion avec laquelle, du vivant de Lucien, il empruntait le petit tram d'Auteuil qui le déposait place Saint-Sulpice, les soirs où il se rendait au *Café Voltaire* afin de retrouver Germain Nouveau, Valade, Mendès, Courteline, Monselet.

Sagesse avait été édité quelques mois auparavant et personne — à de rares exceptions près — ne semblait se douter du merveilleux trésor que constituaient ces poèmes. Le nom de Verlaine restait inconnu du public. Ceux de ses confrères qui avaient lu son livre s'étaient gardés d'en rendre compte. La condamnation de Paul à deux ans de prison, les mœurs qu'il affichait, sa liaison avec un de ses anciens élèves, la gêne que l'on devinait voisine de la misère à ses vêtements râpés et à son vieux chapeau, l'obligeaient presque à se terrer dans une banlieue où nul ne se souciait d'apprendre de quelles besognes mé-

diocres il tirait, tant bien que mal, sa chétive sub-
sistance. Bref, on ne voyait en lui qu'un raté dont
il valait mieux ne point rappeler les équivoques
vicissitudes. Victor Palmé, qui avait publié
Sagesse, ne croyait guère à la valeur d'un tel
chef-d'œuvre et ne s'était pas même donné la
peine de le mettre en vente chez les libraires.

O vous, comme un qui boite au loin, Chagrins et Joies,
Toi, cœur saignant d'hier qui flambes aujourd'hui,
C'est vrai, pourtant, que c'est fini, que tout a fui...

Durant le trajet, au trot d'une rosse efflanquée,
Verlaine derrière les vitres de la voiture, devait
se dire qu'il payait cher ses anciennes folies. Son
feutre enfoncé sur les yeux, le malheureux s'as-
soupissait dans une confuse extase où le plaisir
de se trouver bientôt parmi des camarades
ne l'empêchait pourtant point de penser à l'heure
à laquelle il empruntait le tram afin de regagner
son gîte. Il habitait Boulogne-sur-Seine. Lucien,
qui avait été surveillant d'internat à la pension
Esnault, était entré dans un établissement indus-
triel d'Ivry et ne s'était pas gêné pour envoyer
promener ses employeurs. Verlaine le remplaçait.

Il aimait ce métier de « pion » qu'il avait jusqu'ici peu ou prou exercé et qu'il jugeait plus
compatible qu'un autre avec ses goûts. Cette

Vie humble aux travaux ennuyeux et faciles...

le mettait à l'abri des tentations et l'unique sortiç

du Voltaire, qu'il s'accordait chaque vendredi,
passée dans la fumée des pipes et le bruit des
soucoupes, il reprenait le chemin du retour la
tête toute bourdonnante des vers qu'il avait dits
ou entendus. Cela lui rappelait une période de
sa vie, en Angleterre, alors qu'il enseignait le
français aux élèves du collège de Stickney, après
sa détention à Mons et sa dernière entrevue de
Stuttgart avec Rimbaud. Paul, que sa mère avait
rejoint, conservait de ces quelques mois un souvenir plein de douceur, d'apaisement, de dignité.
Epoque de bonheur en somme; d'un bonheur
auquel il ne manquait, songeait Verlaine, lorsqu'il s'examinait sincèrement, qu'une liaison com-
parable à celle qu'il entretenait avec Lucien.

Chaque dimanche, en effet, le jeune homme
rejoignait le poète à la gare d'Auteuil et lui consacrait sa journée. Qu'importait donc la gloire
à Paul, en ce temps-là! La présence de Lucien,
leurs tête-à-tête rue des Perchamps, dans le modeste hôtel où Verlaine occupait une chambre,
leurs promenades sous les ombrages du Bois
jusqu'à l'heure du dernier train qui ramenait
Létinois chez lui, permettaient à Verlaine
d'attendre la semaine suivante. Il écrivait des
vers, collaborait aux petites revues, ou, lorsqu'il
flânait le long de la Seine, la vue des berges ver-
doyantes, des peupliers qui se miraient dans
l'eau, du ciel pur, des nuages, l'emplissait d'une
sérénité dont nous retrouvons le prolongement
dans ses poèmes d'un « impressionnisme » qui

rappelle assez bien la manière de Sisley ou celle de Pissarro.

Ce sonnet, par exemple, avec son papillote-ment de touches à peine indiquées, est d'une saveur exquise :

> *Le Point-du-Jour avec Paris au large,*
> *Des chants, des tirs, les femmes qu'on « rêvait »,*
> *La Seine claire...*

Il ne s'agit plus du grand thème triste et pathé-tique du *Nocturne Parisien,*

> *Roule, roule ton flot indolent, morne Seine.*

Tant d'eau a coulé sous les ponts depuis cette date que Verlaine se méfie.

> *Prends l'éloquence et tords-lui son cou!*

a-t-il même déclaré sans regret d'aucune sorte.

Sa vision s'est faite plus colorée, plus aiguë. On pense à Raffaelli :

> *Le bonneteau fleurit « dessur » la berge,*
> *La bonne tôt s'y déprave, tant pis*
> *Pour elle et tant mieux pour le birbe gris*
> *Qui, lui du moins, la croit encore vierge.*

Et cette note, soudain si pure, si délicate :

> *Il a raison, le vieux, car voyez donc*
> *Comme est joli toujours le paysage,*
> *Paris au loin triste et gai, fol et sage...*

Peut-être entraînait-il jusqu'au fleuve Lucien afin de lui faire partager ses sensations. Tous deux contemplant l'eau, les feuilles, la lumière, se souvenaient alors de leur existence campagnarde, puis ils opéraient demi-tour :

Mon vieux bras dans le tien, nous quittions cet Auteuil,
Et, sous les arbres pleins d'une gente musique,
Notre entretien était souvent métaphysique.

Souvenirs qui devaient, plus tard, assaillir Verlaine, évoquant tout ce bonheur auquel il s'abandonnait d'un cœur simple :

Et puis nous rentrions, plus que lents, par la route
Un peu des écoliers, chez moi, chez nous plutôt,
Y déjeuner de rien, fumailler vite et tôt,
Et dépêcher longtemps une vague besogne.

Ici, deux lignes en blanc. Et, tout à coup, ce cri atroce :

Mon pauvre enfant, ta voix dans le Bois de Boulogne!

Dans l'intervalle, on aurait pu intercaler :

Tu mourus dans la salle Serre,
A l'hospice de la Pitié :
On avait jugé nécessaire
De t'y mener mort à moitié.

J'ignorais cet acte funeste.
Quand j'y courus et que j'y fus,
Ce fut pour recueillir le reste
De ta vie en propos confus.

En effet, au mois de janvier 1883, Lucien suc-
combait d'une fièvre typhoïde.

Et Verlaine, désespéré, se frappant la poitrine,
en larmes au pied d'un crucifix, lamentait :

> *Seigneur, j'adore vos desseins,*
> *Mais comme ils sont impénétrables!*

VERLAINE
Photographie par Gerschel.

Planche XVI

VERLAINE SUR SON LIT DE MORT
dessin de Cazals (9 Janvier 1896).

CHAPITRE XIV

Oui,

Ce fut un brutal, ce fut un ivrogne des rues.
Ce fut un mari comme on en rencontre aux barrières...

...mais d'abord un poète, un grand et merveilleux poète contre qui, jusqu'à la fin, le sort s'est acharné. Sa laideur, sa faiblesse expliquent ses fautes : il n'a pas eu sa part de joie ni de sérénité. Rappelez-vous les rebuffades qu'il dévorait silencieusement à ses premières amours, ces échecs si pénibles pour une nature sensible, spontanée, comme la sienne. Il en a conservé le souvenir.

> *A vingt ans un trouble nouveau,*
> *Sous le nom d'amoureuses flammes,*
> *M'a fait trouver belles les femmes :*
> *Elles ne m'ont pas trouvé beau.*

On ne sait quelles conséquences peuvent avoir sur un adolescent de si cruelles désillusions. Quand il se regardait dans une glace, la façon dont il examinait son front trop vaste, ses yeux bridés, obliques, ses pommettes saillantes, son teint terreux aurait dû faire comprendre à ses amis pourquoi il se saoulait ensuite abominablement. Etait-ce sa faute? Déjà, par une sorte de pudeur, de meurtrissure dont il se défendait de laisser voir la trace, il essayait de donner le change. La preuve en est qu'au lendemain de sa rencontre avec Mathilde, il n'ose croire que la jeune fille s'intéresse à lui, puis, dès qu'il entrevoit la moindre chance de plaire, il présente aussitôt sa demande en mariage. Mathilde a été toute sa vie, sans rien comprendre d'ailleurs au bouleversement que sa présence avait opéré dans l'âme du poète. Bien plus, elle a poursuivi le malheureux d'une haine féroce, de misérables ressentiments. Je sais très bien que Paul n'a pas toujours été logique envers lui-même, que la plupart des torts étaient de son côté, qu'il buvait, qu'il se laissait aller aux pires violences. Mais la sincérité des poètes éclate dans leurs vers, et nous possédons cent témoignages de l'amour de Verlaine pour sa femme.

Vous n'avez pas eu toute patience,

tente-t-il de lui expliquer.

Cela se comprend par malheur, du reste;
Vous êtes si jeune!...

Ce mariage fut la cause des pires épreuves.

En effet, Delahaye rapporte à ce propos qu'après sa sortie de prison, Verlaine, qui feuilletait un album de photographies, découvrit le portrait de son ancienne compagne, et plus loin, dans les derniers feuillets, le portrait de Rimbaud. Détachant alors cette image, il la plaça vis-à-vis de celle de Mathilde et, comme sa mère se récriait, indignée de ce qu'elle nommait un « sacrilège », Pauvre Lélian se mit à ricaner :

— Eh bien! quoi! répliqua-t-il ensuite d'un air dur. Où est le mal? Je réunis les deux êtres qui m'ont fait le plus souffrir!

Ni le repentir de Verlaine, qui était grand, ni ses efforts pour rompre avec Arthur, ni ses malheurs, ni l'accent pathétique de la plupart de ses poèmes, ni finalement le geste qu'il avait eu en se dépouillant des vingt mille francs de titres trouvés dans la paillasse de Stéphanie, n'avaient fléchi son ex-épouse. Quel cœur dur, insensible! Paul avait beau se tourmenter au souvenir de son foyer détruit, Mathilde ne désarmait pas. Et pourtant :

> *Je vois un groupe sur la mer.*
> *Quelle mer? Celle de mes larmes.*
> *Mes yeux mouillés du vent amer*
> *Dans cette nuit d'ombre et d'alarmes*
> *Sont deux étoiles sur la mer.*
>
> *C'est une toute jeune femme*
> *Et son enfant déjà tout grand*
> *Dans une barque où nul ne rame,*
> *Sans mât ni voile, en plein courant...*

Se peut-il qu'une telle plainte, si désespéré-
ment sincère, n'ait point ému celle qui l'inspirait?
L'influence de Rimbaud a totalement désaxé
Verlaine, mais il voulut un jour briser le charme
qui le liait à « l'Epoux infernal ». Il s'était presque
libéré d'Arthur. La lettre qu'il adresse de
Bruxelles à Mathilde est poignante. Verlaine a
fui Londres. Tout pantelant encore de sa rupture,
il supplie la jeune femme de venir le rejoindre,
de l'aider à se ressaisir. Il appelle au secours.
Que Mathilde réponde à ce cri de détresse et
c'est le salut. Mais il faut qu'elle impose silence
à ses rancunes, à son dépit, à ses vexations
d'amour-propre. Va-t-elle ou non comprendre
que le dénouement dépend d'elle seule? On reste
consterné devant tant de froideur. Mathilde pré-
parait sa demande en séparation de corps et,
prétextant que Paul était indigne de s'occuper
de Georges, accumulait à plaisir les griefs qu'elle
pouvait présenter afin de gagner la partie. Son
attitude est révoltante. Verlaine espérait ferme-
ment que sa femme l'aiderait à triompher de
sa navrante faiblesse. Mais Mathilde ne vint
point. Stéphanie seule accourut auprès de son
fils et, le lendemain, 8 juillet 1873, Arthur prenait
à Londres le bateau pour Anvers et descendait
du train le soir même sur le quai de la gare de
Bruxelles.

Admettons que Verlaine ait, par son manque
de parole, de caractère, découragé la bonne
volonté de Mathilde, cette dernière n'aurait-elle

pas dû comprendre qu'il s'agissait d'un événement capital dans la vie de son mari, et qu'en
s'abstenant de lui porter secours elle contribuait
à le perdre? Certains soutiennent que c'était là
son intention. Or, Mathilde ne pouvait prévoir
que Paul tirerait deux balles de revolver sur son
ami, mais elle souhaitait que toute cette lamentable et scandaleuse histoire s'achevât sans
qu'elle y prît part. Elle ignorait qu'Arthur eût
rejoint Paul, à l'Hôtel de Courtrai. Toutefois,
en raison de la lettre qu'elle reçut, la jeune
femme savait que Paul était résolu à reprendre
la vie commune, qu'il était libre, et elle aurait
pu, sinon pour lui, du moins pour leur enfant,
risquer une suprême démarche. Le drame n'aurait
pas eu lieu. Paul aurait évité la prison. Sa fugue
avec Rimbaud ne se serait point ébruitée comme
cela se produisit après la « visite infamante » à
laquelle les magistrats soumirent Verlaine et la
peine qui le frappa. La réputation d'un de nos
plus admirables poètes fût ainsi demeurée
intacte. Malheureusement, Mathilde ne pensait
qu'à elle-même, à sa propre susceptibilité. Cha-
pitrée par M. Mauté, elle se désintéressait de
l'époux dont elle portait encore le nom et rédi-
geait minutieusement l'acte d'assignation devant
le tribunal civil de la Seine, renonçant par séche-
resse de cœur à remplir le grand rôle qu'une autre
femme eût été fière de confondre avec le devoir.
Ne cherchons pas d'excuses. Certaines situations
n'en tolèrent point. Si Mathilde — qui, dans ses

Mémoires, tenta de se justifier — avait aimé réellement Verlaine, elle l'aurait alors prouvé, quitte à réclamer par la suite, devant l'inutilité de son sacrifice, le divorce. On ne lui demandait que de se dévouer, même contre tout espoir de désarmer Paul, par une grandeur d'âme dont il était indigne. C'était là sa mission. Elle en eût retiré, d'ailleurs, plus d'avantages qu'elle ne croyait. Ce fils, dont elle parle tant, aurait connu un climat différent de celui dans lequel il fut élevé. Que de ménages finissent ainsi par sauver la façade et par recouvrer, après bien des vicissitudes, une harmonie qu'on estimait impossible ! Jusqu'au dernier moment, Verlaine pensait que Mathilde se comporterait non comme une épouse malheureuse, mais indulgente, en qui la fibre maternelle n'avait pas cessé de vibrer.

Autre chose : n'était-ce point par la ferveur qu'il mettait dans ses vers que Paul avait jadis touché, séduit la jeune fille ? Devenue femme, celle-ci avait-elle donc cessé définitivement d'être sensible à ces rythmes pleins de sa musicale présence — de son absence plutôt — du regret qu'éprouvait le poète de l'avoir perdue ?

> *Il pleure dans mon cœur*
> *Comme il pleut sur la ville.*
> *Quelle est cette langueur*
> *Qui pénètre mon cœur ?*

Quelle créature au monde n'aurait senti la part qu'elle conservait dans l'âme de celui dont

la mélancolie s'exprimait par de tels accents,
si simples et à la fois si nuancés :

> O\ bruit doux de la pluie
> Par terre et sur les toits!
> Pour un cœur qui s'ennuie,
> O\ le chant de la pluie!.

Jamais Verlaine ne s'est montré plus tendre,
plus douloureusement persuasif. Qu'importe au
fond sa trahison!

> Il faut, voyez-vous, nous pardonner les choses.

Ou encore :

> Par instants, je suis le pauvre navire
> Qui court démâté parmi la tempête,
> Et ne voyant pas Notre-Dame luire
> Pour l'engouffrement en priant s'apprête.

Ou toujours :

> O\ triste, triste était mon âme
> A cause, à cause d'une femme.

> Je ne me suis pas consolé
> Bien que mon cœur s'en soit allé,

> Bien que mon cœur, bien que mon âme
> Eussent fui loin de cette femme.

Relisez *Romances sans paroles.* Autant que de
Rimbaud, sinon plus, c'est de Mathilde qu'elles

sont inspirées. Quelle dérision! La « Princesse
Souris » a pu dénombrer ses griefs, combien en
aurait-il fallu pour qu'elle fût quitte envers Verlaine d'une passion si tenace, d'un désespoir si
humble, si « quotidien »? Cependant, Paul n'en
pouvait plus. L'existence conjugale l'avait poussé
à bout. Imagine-t-on vraiment qu'un poète de
son espèce ait pu supporter le contact permanent
de ses beaux-parents? D'un côté, le « bural » —
ainsi qu'il disait — de l'autre, la vie de famille,
alors qu'il avait cru que Mathilde lui ouvrirait les
portes d'un paradis! A proprement parler, c'était
le mettre en cage et lui demander de chanter.
Aussi, quels qu'aient été ses torts, je me refuse à
l'en rendre uniquement responsable. Sans « haïr
le bourgeois », convenons que le « milieu Mauté »,
son manque de fantaisie, son bon sens prudhom-
mesque n'étaient guère propices à l'éclosion du
rêve. Verlaine, du reste, ne nous a rien caché.

« On tire les rois chez les Beautrouillard. Le
père — affirme-t-il avec malice — une magni-
fique calotte de drap d'or un peu de côté sur sa
tête chauve et blanche, barbe de magnat polonais,
des yeux matois. La mère, digne femme, trop
bonne... »

Celle-là, Pauvre Lélian l'a toujours respectée :

Votre mère était tendrement ma complice,
Qui voyait mes torts et mes soins, elle, au moins.

Elle n'aimait pas que par vous je souffrisse.

rappelle-t-il dans *Amour*. Mais poursuivons :

« Un gendre un peu éméché, un autre gendre très sérieux, ce soir... Plus une vieille demoiselle de la campagne, parente du gendre qui est sérieux. »

Scène classique : « Voici qu'on parle littérature, oui! et l'on ne s'entend plus. Dommage! C'était si beau, Madame, si rare, Môssieu, ce ménage patriarcal, cette calotte d'or, ce père de famille tout blanc qui tutoie l'un de ses gendres, celui qui est un peu éméché...

En effet, « la parole est à la vaisselle, maintenant...

— Prends garde à la glace, au moins! dit le doux beau-père.

— Tiens, vieux... fourneau!

— Clic!

— Tiens, birbe infect!

— Clac!

« Cette fois, la suspension a péri. L'obscurité sévit dans la salle à manger; quatre ou cinq chaises Louis XIV (« d'époque », affirme Mathilde) suivent dans les airs la trace de la vaisselle. Des bougies sont apportées. Le beau-père pantelle sur une chaise Louis XVI cassée. Les deux filles et Madame aident la bonne à nettoyer, ramasser...

« La parente de la campagne reste d'ailleurs impassible.

« — Mademoiselle, lui dit Madame... agréez nos excuses. *Cela n'arrive jamais.* »

Ce tableau de famille nous donne une juste idée des joies que le gendre « un peu éméché » savourait chez ses beaux-parents. Comment Verlaine put-il, durant des mois, vivre dans une pareille atmosphère? On s'explique mieux dès lors son attitude à l'arrivée de Rimbaud. Si Mathilde avait eu tant soit peu de sensibilité, voire de finesse, elle se serait refusée à loger sous le toit de son « cher papa », mais c'était une petite bourgeoise médiocre, qui n'avait éprouvé de son mariage qu'une satisfaction de vanité.

« Pourquoi Verlaine, ose-t-elle écrire, se donne-t-il le ridicule de poser à l'homme incompris et de laisser croire au lecteur que j'étais une sotte? Si je n'ai compris ni l'intelligence, ni le talent de Verlaine, pourquoi l'ai-je épousé? »

Et, sarcastique, elle va jusqu'à s'informer :

« Pour sa beauté ou pour son argent? »

Sur ce point, Rimbaud a répondu :

« Toujours seul, sans famille. » Et il attribue ces paroles à son compagnon devenu la femme de « l'Epoux infernal », dans le « drôle de ménage » : « Tristement dépitée, je lui dis quelquefois : « Je te comprends! » Il haussait les épaules... »

« Misérable fée carotte! » Evoquant le temps où Verlaine lui faisait la cour et lui adressait « une de ses plus *jolies poésies* » de *La Bonne Chanson,* dont le premier vers est :

En robe grise et verte avec des ruches,...

...elle nous confie, sans peur du ridicule : « Je fus si charmée par cette *petite pièce*, que je demandai à ma mère la permission d'écrire à l'auteur pour le remercier. »

Conçoit-on ce duo d'amour sans éprouver soudain l'envie d'ouvrir les fenêtres, de crier au secours? Il s'agissait bien du physique du soupirant! Son talent suppléait à sa laideur. Quant à l'argent... Mais « monsieur Paul », précisément, était un excellent parti, quand il demanda la main de Mathilde. Sinon, le « birbe infect » n'aurait point accepté cette union entre sa fille — elle était à peine âgée de seize ans — et le poète. Ecoutez-la plutôt : « Verlaine aimait les choses laides et vulgaires, il lui plaisait d'avoir l'air pauvre, d'être mal habillé, mal logé, de se donner des airs peuple et paysan... » Ah! Rimbaud était nécessaire. Quel dommage, cependant, qu'il se soit décidé si tard à envoyer ses vers à Paul! Le mal était accompli. Cette petite pecque avait sans tarder exécuté sa néfaste besogne, et lui, le malheureux! lui qui manquait d'expérience — du moins à l'égard de sa bien-aimée et de ses pareilles — il escomptait le miracle, souriait au beau-père, embrassait la belle-mère. On en a presque honte. Comment, c'est pour Mathilde qu'il a écrit :

> *La lune blanche*
> *Luit dans les bois...*

et il accepte la calotte d'or du « vieux fourneau »,
la suspension, les airs sucrés (« moi encore si
enfant ») de la petite épouse, les bigoudis de
madame mère, est-ce que je sais! Mais c'était
dix Rimbaud, au lieu d'un, qu'il eût fallu pour
« piétiner les bégonias » de tous ces Beautrouillard! Et je n'exagère pas. Lisez *Mémoires de
ma vie*, de l'ex-Mme Paul Verlaine (Mathilde,
naturellement, pensait que le nom de Verlaine
favoriserait la vente du volume), et vous serez
édifié.

Combien d'artistes — pour avoir, eux aussi,
épousé une Mathilde — ont dû subir ses « gen-
tillesses » et les opinions raisonnables, les idées
saines du milieu qui l'a vue naître! Certains en
meurent, comme d'asphyxie. Les autres cassent
les vitres et se sauvent. Quand je songe à Verlaine et me le représente regagnant le soir son
foyer ou accompagnant, le dimanche, sa jeune
femme en visite, chez « des gens bien »,
célèbres, puissants, il me semble que je rêve.
Or, Mathilde ne nous fait grâce d'aucun détail.
Hugo, qu'elle vénérait en raison de sa gloire et
des services qu'on pouvait en attendre, aurait
été plein d'attentions pour elle. « Je fus tout de
suite à l'aise avec lui », prétend la princesse
Roukine. Un jour, il la « présenta comme l'héroïne
de *La bonne Chanson* et félicita Verlaine de ces
jolis vers. » (C'est moi qui souligne.) — « Un
bouquet dans un obus! », dit-il. J'étais absolument ravie. » On le serait à moins. Mais Paul

devait trouver le compliment idiot, car il n'ignorait pas que les « bourgeois » savaient déjà faire, avec un peu d'ingéniosité, de ces charmants objets : ronds de serviette, vase à fleurs, porte-parapluie, lorsque ce n'était pas un madrigal du fort calibre.

« Un autre jour, rapporte Mathilde, Paul et moi étions allés dîner aux Batignolles, chez ma belle-mère. En rentrant, mon mari me parla de Rimbaud et me conta une conversation qu'il avait eue avec lui :

« — Comment faisais-tu pour te procurer mes livres à Charleville, puisque tu étais sans argent?

« — Je les prenais à l'étalage d'une librairie, et je les remettais après les avoir lus, mais ensuite, craignant d'être surpris, je les prenais, les lisais et les vendais...

« — Cela prouve que ton ami est peu délicat, dis-je à Paul.

« A peine avais-je prononcé ces paroles, que Verlaine, sans dire un mot, m'attrapa brusquement par les bras hors du lit, où je venais de me coucher et me jeta par terre. »

Or, Mathilde a beau se poser en victime, elle a beau même, souvent, mêler Georges, son fils qui venait de naître, aux querelles que Verlaine — une fois ivre — lui cherchait, je n'arrive pas à la plaindre. C'est à Paul, en effet, que je pense. Et sans excuser ses brutalités, je comprends que la plate perspective de se retrouver en présence de sa femme après ses beuveries et ses entre-

tiens parfois sublimes avec Rimbaud, n'offrait
rien d'attrayant. Allons au fond des choses. Les
voluptés que dispensait Mathilde à son mari
l'avaient péniblement déçu. « La créature était
en bois », nous avoue-t-il dans un de ses sonnets.
Et ma foi, si l'on songe au tempérament de Verlaine, à sa fougue amoureuse, c'eût été par trop
exiger de lui qu'il supportât les principes, la présence de sa belle-famille, l'humeur espiègle ou
susceptible de sa moitié, en n'ayant d'autre dé-
dommagement que d'échanger des lieux com-
muns. Cela ne pouvait que mal finir. Peu à peu,
la passion que Mathilde lui avait inspirée s'était
muée en une espèce d'amour de tête, d'attachement cérébral, et il n'admettait pas — puisque
sa femme était inapte à le retenir par les sens
— qu'elle réclamât le divorce, au lieu de lui rester
fidèle, en attendant son retour.

Cette façon de chérir un être, en raison des
malentendus qui vous séparent de lui, de le
chérir, d'ailleurs, avec d'autant plus de ferveur
que vous vous en êtes — par votre propre faute
— éloigné, n'a rien en soi d'exceptionnel. Le
remords, les regrets, le scrupule ajoutent alors
à la tendresse un élément d'angoisse, d'incerti-
tude, dont l'effet se traduit par un accroissement
de la puissance imaginative. L'aventure de Verlaine ne fait que confirmer la règle. Et comme
il avait du génie, ses réactions se sont mani-
festées avec l'intensité et l'exagération qu'il
apportait à tout. Mathilde le connaissait. Elle

savait donc quelles proportions revêtaient à ses
yeux les moindres circonstances, mais, loin
d'alléger la souffrance qui, littéralement, hélas!
le torturait, elle assemblait les pièces de la pro-
cédure et faisait passer sa rancune avant de plus
nobles considérations. Ses *Mémoires*, sous cet
angle, sont pénibles. On y cherche en vain l'écho
d'une compassion quelconque envers celui que
la jeune femme prétendait n'avoir épousé ni pour
sa beauté ni pour son argent.

« A sa mort, ma belle-mère — mentionne-t-
elle sans s'attendrir sur Stéphanie (« elle mourut
d'inanition autant que de sa maladie ») — laissa
peu de chose. Ma pension n'avait pas été payée
depuis quatorze ans. Il y avait de quoi me rem-
bourser. M° Guyot-Sionnest, mon avoué, s'empara du petit héritage. » Mathilde ajoute bien
que — par la suite — devant la détresse de Verlaine, elle lui restitua, affirme-t-elle, une part de
son argent. Je n'en ai trouvé trace que sous sa
plume, tandis que, dépourvu de tout, le « vœuf »
n'a cessé de lui reprocher sa méprisable rapacité.

Mais ne réveillons pas de vieilles querelles.
Laissons Mathilde à ses mesquineries et répon-
dons plutôt — avec cette résignation pleine de
douceur navrée qu'elle ne méritait pas :

> *...De grâce, éloignez-vous, madame.*
> *Il dort. C'est étonnant comme les pas de femme*
> *Résonnent au cerveau des pauvres malheureux.*

Il faut relire cet admirable sonnet après les

Mémoires de l'ex-Mme Verlaine. Paul avait tant souffert des procédés dont elle avait usé du temps qu'il était en prison, que — même le sachant coupable des pires excès — on prend aussitôt son parti. Il était séparé de sa femme et cependant croyait encore — il voulait croire — qu'un jour il serait pardonné, que Mathilde lui permettrait de reprendre la vie d'autrefois. Cette suprême illusion le soutenait. En voici la preuve :

L'espoir luit comme un brin de paille dans l'étable.
Que crains-tu de la guêpe ivre de son vol fou?
Vois, le soleil toujours poudroie à quelque trou.
Que ne t'endormais-tu, le coude sur la table?

Hélas! Il sait que Mathilde ne reviendra pas sur sa décision; il la voit telle qu'elle est. Et pourtant :

Pauvre âme pâle, au moins cette eau de puits glacé,
Bois-la. Puis dors après. Allons, tu vois, je reste,
Et je dorloterai les rêves de ta sieste,
Et tu chantonneras comme un enfant bercé.

Deux lettres que j'ai reçues au sujet du poète m'ont particulièrement ému. La première, signée du petit-fils de la femme qui dirigeait, à Juniville, le principal hôtel où « monsieur Paul » avait — comme il se doit — laissé une ardoise assez lourde, contient ces renseignements :

« Verlaine était considéré à Juniville comme un brave homme, incapable de toute méchanceté. Lorsque après son départ de la localité il partit pour Arras habiter chez sa mère, il entendit par hasard un militaire qui appelait un de ses camarades Badard! Les interpellant tous les deux, Verlaine demanda au premier s'il n'était pas originaire de Juniville — car il se souvenait qu'un Badard y était maréchal ferrant — et, sur une réponse affirmative, il l'invita à dîner. Désormais, Paul Badard, soldat de la garnison d'Arras, avait son couvert chaque dimanche chez Verlaine, et c'est par lui que les dernières nouvelles du poète furent apportées et commentées, avec toute la reconnaissance que l'on devine, dans le pays. »

Cette simplicité n'est point pour nous surprendre. Toutefois, mon correspondant me fait justement observer :

« La ferme de Juniville ne fut point achetée par Verlaine aux Létinois, mais à un paysan nommé Elie Buneau. Elle existe d'ailleurs encore. C'est une des rares maisons qui n'aient point été détruites par les Allemands, au moment de leur retraite en 1918.

« Je tiens, ajoute M. Georges Lepargneur, de Mme Pierre Gabreau (quatre-vingt-deux ans), qui vit toujours à Juniville et qui connut Verlaine, les faits suivants : il avait installé dans la ferme le jeune Lucien et son père, que son ancien métier de messager à Coulommes ne rendait point habile cultivateur. Lui-même vécut chez les

Létinois jusqu'à ce que sa mère vînt le rejoindre et s'installât quelques maisons plus loin.

« Jamais Verlaine ne prit part aux travaux des champs. Il n'était pas vêtu, du reste, comme un paysan, mais comme un modeste petit bourgeois. Sa principale occupation consistait à se promener dans la région, seul et souvent porteur d'une canne. Lorsqu'il rencontrait un caillou sur son chemin, ce qui était alors très rare dans un pays crayeux dépourvu de routes empierrées, il le poussait du pied ou de l'extrémité de sa canne, durant des centaines de mètres, tout en réfléchissant. Il s'arrêtait parfois, prenait des notes sans se soucier des passants qu'il croisait et qu'il suivait d'un regard vague, tandis que ces derniers, surpris par de telles manières, le prenaient pour un personnage bizarre, quelque peu déséquilibré. »

Enfin, me confie le signataire de ces précieuses indications, le séjour du poète dans le pays avait eu pour résultat qu'on ne disait plus « saoul comme un Polonais », mais... « comme Verlaine », tant le souvenir de ses flamboyantes bitures était resté vivace en la mémoire des gens.

La seconde lettre se rapporte à un Verlaine citadin :

« Au 4 de la rue de Vaugirard, m'écrit Mme Marguerite Thill, vers 1890 ou 1892, ma sœur tenait une petite blanchisserie. Verlaine habitait la maison ; et ma sœur, qui était très bonne, le laissait venir se chauffer et faire la causette. Lui,

parfois si hargneux, était toujours d'une correction parfaite envers elle. Je crois même me souvenir (j'ai soixante-quatorze ans) qu'il lui apportait de ses vers (car il n'en était pas avare) et en
faisait chauffer les fers à repasser. »

Ces deux croquis enlevés sur le vif prouvent
qu'aussi bien à la campagne qu'en plein Paris,
Verlaine attirait sans effort la sympathie, et que
Mathilde n'avait pas tort d'écrire qu'il lui plaisait
de se « donner des airs peuple et paysan ».
Pourtant, ce n'était point chez Paul une attitude.
Son instinct le portait à fréquenter de préférence
des êtres simples et naturellement bons, afin de
goûter auprès d'eux un peu de cette sérénité
qu'il ne découvrait guère dans le commerce des
autres. Cela constituait une agréable compensa-
tion, qui lui permettait, non seulement d'oublier
Mathilde, mais sa belle-famille, elle aussi, et
l'on se rend dès lors mieux compte de tout ce
qui, dès le début de leur mariage, devait séparer
les époux.

En effet, si, comme elle s'en targue, Mathilde
avait *compris* Verlaine, le mal eût été moins
grave, car plus tard, quand le malheureux tomba
assez bas pour trouver un refuge auprès d'une
virago et s'exclamer :

> Je suis plus pauvre que jamais
>   Et que personne;
> Mais j'ai ton cou gras, tes bras frais...

il cède à la hantise d'une vieille revanche. La

crainte de s'éprendre d'une fille capable de lui
rappeler, même par de lointains côtés, celle dont
il a si atrocement souffert, le porte à exagérer
les précautions. En faisant la part de ses goûts,
nous pouvons donc admettre pour quels motifs
il fixa tour à tour son choix sur ces deux « cho-
léras » d'Eugénie et de Philomène plutôt que
sur d'autres. Et puis il y avait ce vide abominable
causé par la mort de sa mère, et qu'il essaya
toute sa vie, sans hélas ! y parvenir, de combler.

Je n'ai pas de chance en femme,

confesse-t-il. Et il s'écrie plus loin, non sans un
soupir de soulagement :

Ah ! c'était du propre et du beau que moi !

Dussé-je soulever des protestations, personne
jamais ne m'empêchera de croire qu'en s'adressant à de telles « ivrognesses », Verlaine — en
même temps qu'il satisfait, je le concède, la brute
— tentait de remplacer la digne Stéphanie.

« Ce qui a pesé sur la vie du poète — a rappelé
Saint-Georges de Bouhélier dans un très bel
article — c'est la perte de son foyer, dont il
s'était vu chassé dès les premiers jours. Sans
doute, il l'avait lui-même déchiré, mais il ne s'en
est jamais rendu compte. Les hommes commet-
tent des fautes dont ils se forgent les chaînes,
et ils sont stupéfaits de leurs conséquences. Verlaine, qui avait préparé son propre naufrage, n'y
a probablement jamais rien compris. Le berceau

de son fils flottait à la dérive, le lit conjugal s'en allait dans la tempête, les fleurs d'oranger de la noce n'étaient que poussière au vent, et il s'en étonnait avec éclat. Un jour que j'étais avec lui au quartier Latin, ne m'a-t-il pas dit, en pleurant contre ma poitrine, qu'il avait un fils de mon âge, dont on l'avait séparé, et qu'il ne se consolait pas de son absence? Le vieil homme était seul avec moi dans la nuit. La pluie tombait, une pluie épaisse et lamentable. »

Raison de plus pour que le regret de Stéphanie fût plus âpre, plus véhément. En effet, du jour où sa mère disparaît, Paul cède à des vices encore plus abjects que celui dont il pouvait, du moins aux yeux de l'innocente, inscrire les manifestations au chapitre de l'amitié! Rimbaud ou Philomène? Lucien ou Eugénie? Dieu soit loué que nous n'ayons point à nous prononcer! Pourtant, je ne serais pas seul à pencher du côté que l'on pense, car les maîtresses de Verlaine s'expliquent (je ne dis pas se justifient), d'abord par la phobie de l'hôpital qui l'a longtemps hanté, puis par l'immense besoin que sa faiblesse lui imposait d'être choyé, protégé; enfin — étant donnée sa déchéance physique — par la nécessité de s'accoupler avec les seules et bestiales créatures qui,

Du soldat bon enfant au joyeux ouvrier,

ont pu, sans haut-le-cœur, accepter ses folâtres propositions.

Barrès a écrit de *la* Krantz qu'elle avait été
le bon ange et Esther le mauvais. Et il poursuit
dans l'article nécrologique consacré au poète :

« Le bon ange, ouvrière de mérite à la « Belle
Jardinière », a été danseuse. Elle disait à Verlaine :

« — Moi, je ne prends pas des pantalons
pour m'en faire des nichons... j'en ai des vrais. »

« Avant de s'être mis en ménage avec elle et
de l'avoir affichée publiquement comme sa
« presque femme », écrit, au cours de ses pages
pathétiques, Bouhélier, Verlaine s'était fait
héberger par elle et s'était montré satisfait
de la vie commune. Cependant, il ne cessait de
se plaindre de ses violences. Ce n'était pas une
femme de tout repos. Plus souvent qu'à son tour,
il lui arrivait de s'abandonner à ses impulsions
d'hypocondriaque. C'était au point qu'il devait
la quitter. Le cher foyer tant désiré redevenait
pour lui quelque chose d'intolérable ; il ramas-
sait ses pauvres hardes, faisait un paquet de ses
manuscrits et se reprenait à courir les routes,
demandant asile à n'importe qui. Mais, la tempête une fois passée, il revenait toujours à
Eugénie pour lui demander pardon. »

La veille de la mort du poète, Esther s'étant
présentée rue Descartes, Eugénie fit une scène
atroce. Verlaine disait :

— J'en ai assez. Qu'on me laisse crever en
paix !

Montesquiou (qui le comparait à une « an-

cienne gondole », le raffiné !) dut sermonner le
bon ange :

— Vous remplissez une tâche sublime. Votre
rôle sera immortel, vous soignez le grand poète
Paul Verlaine. On sera obligé de vous le retirer.

Hélas ! durant la nuit, Verlaine tomba de son
lit : Eugénie ne pouvant le relever, il demeura
par terre jusqu'au matin. C'est de cette chute,
ou plutôt des suites de cette chute, qu'il mourut
le lendemain, à sept heures du soir.

François Porché nous conte ainsi la scène :

« Verlaine reste seul — seul avec le portrait
de son père. Ce tableau, nous l'avons vu. Il est
percé, en maints endroits, de trous triangulaires,
car souvent, lorsque le poète rentrait ivre au
logis, il insultait cette image, reprochant véhé-
mentement à l'homme qu'elle représentait de
l'avoir engendré et parfois il advint que, au
paroxysme de la rage, il enfonçait dans la toile
la pointe de son bâton ferré. Mais quelle mira-
culeuse piété guidait jusque dans le sacrilège la
main du fils furieux? Les coups n'atteignaient
que le fond obscur du tableau, formant comme
une auréole de vains outrages autour de la tête
respectée.

« Le lendemain, au petit jour, Verlaine fut
trouvé mort tout nu, sur le carreau, en face de
ce portrait. »

— N'en croyez rien ! m'a déclaré Cazals, qui
veilla le poète, rue Descartes, et fit de lui un
dernier dessin. Les trous dont la toile est percée

ont pour cause des éraflures survenues au cours
de plusieurs déménagements. L'histoire du bâton
ferré fut inventée plus tard de toutes pièces, ainsi
que l'anecdote de cette fameuse pelisse offerte
au malheureux par les internes de l'hôpital
Broussais, lors de ses visées à l'Académie. Le
bâton, que je sache! n'était pas un alpenstock,
mais un gourdin vulgaire sans danger pour personne. La seule arme que possédait Verlaine consistait en un méchant petit canif avec lequel il
avait la manie de vous donner des coups lorsqu'il
était pris de boisson. Au surplus, je l'affirme, *la*
Krantz n'a pas laissé Verlaine tout nu sur le
plancher de sa chambre pour aller s'enivrer,
comme on le raconte, chez des voisins. Ne pouvant le relever — car il était trop lourd pour elle
— Eugénie l'entoura de couvertures, afin qu'il
n'eût pas froid.

Mais revenons à l'article de Barrès, dont
l'accent dépouillé serre le cœur.

« Avant l'église, Eugénie dit encore :

« — Si Esther vient, je ferai un scandale!

« On lui dit :

« — Non, vous ne pouvez pas exiger qu'Esther
n'entre pas à l'église. L'église est pour tous.

« Elle accepta. Mais, de ma place, je voyais
cette terrible figure de *grenouille,* face plate,
large, convulsée par la douleur, qui se tournait,
surveillait la porte... »

***

Dans la chambre, à présent déserte du grand mort, son porte-plume, son encrier, les barreaux de chaise et jusqu'aux plus humbles ustensiles, tout avait été doré par Verlaine au pinceau.

Une pareille somptuosité, mêlée à tant de banale médiocrité! Sais-je pourquoi? cela me fait songer au goût du Moyen Age, qui fut toujours très vif chez le poète et qui m'aide à me le présenter tel un enlumineur, s'appliquant à sa tâche. Il est ainsi plus près de Villon. Le vent secoue les enseignes dans la rue, tandis que de la tour toute proche de Saint-Etienne-du-Mont, un tintement de cloche retentit à travers le quartier où déjà, même du temps du « chétif escholier », elle appelait aux offices...

Souvenez-vous du sonnet de *Sagesse* :

C'est vers le Moyen Age, énorme et délicat,
Qu'il faudrait que mon cœur en panne naviguât,
Loin de nos jours d'esprit charnel et de chair triste.

Cependant on ignore peut-être la fin d'un vague poème en prose qui parut dans *La Revue indépendante* sous le titre : « Notes de nuit », et qui contient cette phrase dont Rimbaud se fût enivré :

« O les grandes routes du moyen âge, pleines de potences et de chapelles! »

Ce fut l'une d'elles que, le jour de l'enter-rement, suivit son cortège funèbre : il emprunta l'avenue de Clichy jusqu'à La Fourche, qu'il descendit à gauche vers le cimetière des Batignolles, mais, plus loin que cette halte où sa dépouille repose, la même route qui fut jadis « pleine de potences et de chapelles », s'étend à travers champs.

— Verlaine, tous tes amis sont là ! clama soudain Eugénie Krantz en se penchant sur la fosse.

« Cri superbe ! » note Barrès. Celle qui le poussait ne croyait certes pas si bien dire : elle ne comptait que les vivants. Mais Verlaine dut l'entendre. « Et voilà pourquoi il l'aimait ! » conclut le jeune clinicien du *Jardin de Bérénice*. « Il fallait bien que cette femme eût quelque chose, cette naïveté, ces cris d'enfant ! »

Barrès ne se trompait pas. Eugénie venait d'inspirer au poète ce sonnet qu'on devrait graver sur sa tombe :

> *Il est un arbre au cimetière*
> *Poussant en pleine liberté,*
> *Non planté par un deuil dicté,*
> *Qui flotte au long d'une humble pierre.*
>
> *Sur cet arbre, été comme hiver,*
> *Un oiseau vient qui chante clair*
> *Sa chanson tristement fidèle.*
> *Cet arbre et cet oiseau, c'est nous :*
>
> *Toi le souvenir, moi l'absence*
> *Que le temps — qui passe — recense...*
> *Ah, vivre encore à tes genoux !*

Ah, vivre encor! Mais quoi, ma belle,
Le néant est mon froid vainqueur...
Du moins, dis, je vis dans ton cœur?

*
**

Durant son existence, et même après sa mort, Verlaine aura été victime du plus cruel malentendu. N'est-il pas temps d'admettre qu'il n'a été si grand qu'en raison des malheurs qu'il avait provoqués et qu'il a supportés, humblement, jusqu'au bout? C'est par amour de la poésie que Verlaine a gâché sa vie. Mais il a rendu plus poignant le sort de certains hommes qui, de Villon à Baudelaire, ont joué bravement le jeu, quelles qu'en dussent être les conséquences. On l'a dit faible. Il l'a été au delà de tout ce qu'avant lui l'idée que l'on se fait du manque de caractère suggère de mensonges, de trahisons, de lâchetés. Néanmoins cette faiblesse n'est que trop excusable. Elle provient de la façon dont l'enfant a été élevé, de sa laideur, contre laquelle il n'a jamais rien pu. Nous devons donc nous répéter — puisqu'on reconnaît son génie — qu'il a souffert plus que personne de se savoir si disgracié physiquement. Ses premiers contacts avec la vie l'ont conduit — par refoulements — à composer une attitude, et tout ce que cette attitude réclame d'efforts pour demeurer constante, jamais Verlaine ne s'est refusé à le fournir. On ne l'a pas compris, au début, parce qu'il affectait l'impassibilité des Parnassiens. Toutefois, il a suffi de *La Bonne Chanson,* ou plutôt de ses fiançailles avec Mathilde, pour que l'on commençât à deviner le mal qui fut le sien. Puis l'erreur de son mariage l'a, par degrés, mené plus loin, plus bas, jusqu'aux suprêmes abjections. Ceux qui condamnent l'homme possèdent sans doute quelques raisons de déplorer ses nombreuses turpitudes, mais ont-ils, par hasard, pensé à la façon dont ils auraient eux-mêmes agi, s'ils s'étaient trouvés à la place de Verlaine? Après la mort de Stéphanie, le spectacle de ses tares a grossi le nombre de ses détracteurs. Pourtant, dans ses compromissions de toute sorte avec les horribles créatures qui ont achevé de l'avilir, Paul a toujours tenté de remplacer l'absente. Chez le vieil homme, l'enfant se survivait, et comme, presque toujours, le génie n'est en grande partie que l'enfance retrouvée, celui de Verlaine s'impose doublement, puisque sa propre enfance — avec ce qu'elle comporte de fraîcheur, d'innocence et de spontanéité — le merveilleux poète qu'il fut et qu'il demeure, ne l'a jamais perdue.

FIN

TABLE DES ILLUSTRATIONS

———

*Les documents ayant servi à l'illustration
de ce volume nous ont été aimablement
communiqués par M. H. Matarasso.*

ACHEVÉ D'IMPRIMER
EN DÉCEMBRE 1947
SUR LES PRESSES DES
ÉTABLISSEMENTS BUSSON
A PARIS

o

DÉPOT LÉGAL : 1er TRIMESTRE 1948
Nº ÉDITION : 534 - Nº IMPR. : 591